Universale Economi

CW00919047

ROSSANA CAMPO
DURO COME L'AMORE

Feltrinelli

© Giangiacomo Feltrinelli Editore Milano
Prima edizione ne "I Canguri" maggio 2005
Prima edizione nell'"Universale Economica" maggio 2007

ISBN 978-88-07-81975-9

www.feltrinelli.it
Libri in uscita, interviste, reading,
commenti e percorsi di lettura.
Aggiornamenti quotidiani

Toute créature qui m'a émue un instant m'appartient.

M. YOURCENAR

Questo è un ringraziamento ai miei amici Emili, Chiara, Luisa e Michel.

1.

Gli dico che l'ho sognato. Ho sognato che eravamo in paradiso, noi due, che ci eravamo arrivati in macchina, sulla sua auto scassata. Avevamo preso una strada che partiva dalla Porte d'Orléans e avevamo trovato questo passaggio che ci portava dritti in paradiso.

In paradiso, io e te?

Sì, proprio così.

E cosa ci facevamo in paradiso?

Non lo so... eravamo felici, stavamo insieme.

Ma tu sei fuori, e poi cosa ci facevamo con la mia Alfetta in paradiso, gli sfigati della situazione? Eravamo quelli tagliati fuori anche lì?

No, no, non ce ne fregava niente, perché eravamo insieme eravamo solo noi due e stavamo proprio bene...

E cosa c'era in paradiso, a parte noi due, com'era fatto?

C'erano delle colline verdi e degli alberi con i germogli, tipo dei ciliegi, o dei mandorli, forse somigliava un po' al Giappone questo paradiso.

Tu sei matta,

Se sono matta, per me va bene.

Ah va bene?

C'è gente che l'ha pensato, per un po' di tempo anch'io l'ho pensato,

E che altro succedeva nel tuo sogno,

Nel paradiso a un certo punto il paesaggio si trasforma e arriva una foresta, tanti alberi e una foresta fitta, tipo Fontainebleau per dire, sai com'è Fontainebleau, tutti quegli alberi, le querce, i pini, le rocce con quelle forme strane... poi c'era una piccola capanna e c'eravamo noi che andavamo verso questa capanna, eravamo tutti beati e sorridenti.

Eravamo contenti di essere lì,

Sì, perché ci eravamo tirati fuori da tutta la merda che c'è in giro.

2.

Siamo a metà dicembre, un periodo che mi sento stanca e confusa, sono caduta due volte, caduta stesa per terra dico, una volta mentre salivo le scale di casa e un'altra mentre entravo nel supermercato Franprix di rue Monge. Ci vado sempre in quel supermercato, perché non so tanto organizzarmi per la spesa, mi dimentico di scrivere la lista oppure la scrivo e poi la lascio a casa. Così vado, prendo un paio di cose, e poi appena torno a casa mi viene in mente che ne ho dimenticate altre. Mi fa male il ginocchio destro, mi si è gonfiato, il medico mi ha dato il rimedio omeopatico arnica da prendere, e io lo prendo. Poi mi ha consigliato di controllare il livello alcolico e di mangiare qualcosa di sano, di provare a buttarmi sull'integrale. Sul bere non l'ho seguito. Sono sola in casa per qualche giorno, non devo andare a lavorare e me ne resto in casa a rimuginare. Ho incontrato la ragazza del primo piano che vedendomi zoppicare mi ha chiesto cos'era successo e poi in uno slancio di umanità mi ha perfino detto di telefonarle se ho bisogno di qualcosa o se ho voglia di fare due chiacchiere con qualcuno. Ma a me piace vivere da sola, quando sono da sola io sto bene, questo non gliel'ho detto. Lei è stata così gentile che non le ho detto niente. Quando sono da sola in casa posso scolarmi in pace qualche bicchiere, mi metto su un po' di dischi a tutto volume e poi vado a letto senza lavarmi, faccio queste cose in tutta tranquillità. Mi metto a scrivere seduta sul divano, o anche coi piedi sul tavolo, se mi sento troppo sola mi faccio un giro al Jardin des Plantes, vado a prendere un tè alla menta al caffè della Moschea qua vicino oppure scendo al baretto all'angolo di rue Linné, lì c'è sempre un po' di gente che entra e che esce, qualche bevitore solitario che va a vino scadente, coppie che mangiano sandwich e ragazzi che bevono birra. In genere da sola sono sempre stata bene. Mi è venuto in mente che la prima bevuta me la sono fatta a quattordici anni, era stato vino rosso a casa della mia amica Gabri insieme a quel cazzone di suo fratello Pino, e poi quando sono arrivata a casa ero passata alla grappa che avevo trovato nel frigo, ero stata così male che per un sacco di tempo me n'ero tenuta lontana. Poi ci siamo riavvicinate, io e la bottiglia, ci siamo avvicinate e allontanate a periodi alterni, è una storia che va avanti da un bel po' di anni e dunque la considero una delle poche storie riuscite della mia vita. Ogni tanto mi dico che devo ringraziare il mio fegato se non ce la passiamo così male.

Poi sono uscita per andare al Franprix di rue Monge. Mi sento un po' stonata, chissà se è il rimedio omeopatico, o forse il rimedio mescolato al vino, fatto sta che lì, in mezzo a quegli scaffali pieni, di colpo, sono entrata in paranoia e ho avuto paura di vedermi crollare tutto addosso. Tutte quelle scatole di surgelati, e i sughi pronti, le merendine, i detersivi, i formaggi, i vini, ho avuto voglia di scappare da lì. Alt!, mi sono detta, tira un po' il freno adesso, e cerca di concentrarti su questa cacchio di spesa. Mi sono buttata sulle pere e le mele e i pomodori, ho riempito i sacchetti, li ho messi sulla bilancia, ho aspettato che la bilancia sputasse fuori l'etichetta col prezzo, l'ho incollata sul sacchetto e via. Poi ho dato un'occhiata al banco del pesce, e quando ho chiesto, tutta piena di buona volontà, quando ho chiesto al ragazzo che stava piantato lì, in mezzo alle ostriche e ai gamberetti: Deux tranches de saumon, s'il vous plaît! mi sono sentita una che sa fare la spesa al super, una che sa scegliere le cose giuste, e che sa prendere in mano la sua vita. Sì, come no, mi sono detta, e mi sono avviata alla cassa per pagare.

Sono lì che passo davanti ai frighi pieni di yogurt e di tiramisù importati dall'Italia e vedo un uomo che sta guardando questi yogurt. Ne prende uno in mano e studia un po' l'etichetta e poi lo rimette a posto. Gli ho guardato le mani. Mi sono fermata vicino a lui, ho fatto finta di prendere anch'io un barattolo di yogurt, e intanto ho continuato a guardargli le mani. Sono mani lunghe, sottili e curate, con le unghie piatte e pulite, che poi se ne salgono verso questi polsi larghi e un po' tozzi. Me ne resto lì incantata da quelle mani e mentre che continuo a fissarle lui si gira verso di me e mi chiede qualcosa. Ho un soprassalto, come se qualcuno all'improvviso mi avesse urlato nelle orecchie. Lui rimane fermo lì a guardarmi, col suo vasetto di yogurt in mano, e con la bocca leggermente aperta, sta pensando che c'è qualcosa che non va, nella mia testa, dico. Mi è arrivato il suo odore. È l'odore che aveva mio padre, mi sono ricordata lì, all'istante, di quando veniva a aspettarmi all'uscita di scuola (quando era in grado di farlo) e io entravo nella sua auto delirante piena di giornali, di scatole di crackers ammuffiti, di lattine di birra, dischi, cartine stradali e centinaia di altre cose insensate e di colpo venivo inondata dal suo odore, che era di sigarette e di benzina e del suo giaccone di pelle. Quest'uomo ha quell'odore e in più c'è anche un filo di profumo maschile che non mi piace, non mi piace per niente perché rischia di coprire l'altro odore, quello di cuoio e benzina e sigarette che c'è sotto e che è più interessante. Mi decido a parlargli, gli dico: Non ho capito cosa mi ha chiesto.

Lui ha detto, Ouf, ça fait rien...

Io ho fatto: Va bene.

Lui ha detto, Era... era solo un commento sugli yogurt, su questi yogurt dietetici...

Ah... ho detto io laconica, e poi ho cercato di schiodarmi da quell'uomo e dalle sue mani, mi sono allontanata. Lui mi è venuto dietro e ha detto: Vous êtes italienne? Ah! Ci avrei scommesso, ero sicuro...

Sicuro di cosa? ho detto,

Lui ha cominciato un'altra frase, ha detto: E cosa ci fa qui un'it...

3.

Ho detto: Non credo di avere niente da dire, né a lei né a nessun altro.

Lui è rimasto lì fermo, con le pupille appena dilatate, una vena in rilievo sulla tempia destra e un piccolo orzaiolo sulla palpebra sinistra. Ho detto, Non c'è niente di male a volere conoscere qualcuno, però se uno lo fa così, senza nessuno charme, senza nessuno stile, come viene viene, riesce solo a avere l'aria di un disperato.

Lui continua a guardarmi senza dire niente, io non riesco a staccargli gli occhi di dosso. Potrebbe avere forse 44 forse 45 o 46 anni, e a parte l'orzaiolo c'ha questi occhi blu scuro, quel genere di occhi che certe giornate possono diventare viola o grigi come quelli di un gatto. Poi c'è la barba che gli sta crescendo senza che nessuno ci metta mano da un po' di giorni. Ma non è in questo stato per fare scena, non è così per fare francese alternativo classico, questa è piuttosto una barba da sgraziato incompreso. L'uomo è un po' stempiato e i non molti capelli cercano di sistemarsi in giro per la capoccia come possono. Non è alto, e ha addosso un giubbetto di pelle strettino che anche lui cerca di fare come può, ha un'aria sincera, di chi non tenta di passare per quello che non è, è un giubbetto che non imita lo stile anni '70. Questo è un giubbetto degli anni '70, e se ne sta addosso all'uomo così, un po' nostalgico e un po' devastato. Anche i pantaloni di velluto non sono messi molto bene. Tutto quello che riguarda quest'uomo ha l'aria di non passarsela proprio alla grande.

Mi sono girata e mi sono allontana da lui, lui continua a venirmi dietro, si è messo a tirare fuori qualche cazzata sulle diete e i cibi ipocalorici. Non mi sembra uno che dovrebbe mettersi a dieta. Di colpo ho pensato che è uno fuori di testa, ho pensato all'uomo di cui parlano al telegiornale, il tipo che se ne va in giro a strangolare le donne. Sono così disabituata alle persone che parlano e che chiedono qualcosa per strada o in un negozio che ho pensato: è lui il killer pazzo.

Adesso si è messo a raccontarmi di un sistema per dimagrire che sta provando. Ha a che fare con una dieta di agrumi e non so cosa, io ho cercato di tagliare corto, mi sono allontanata col mio carrello e sono andata a mettermi in fila per la cassa.

Quando è arrivato il mio turno mi sono ricordata di un paio di cose che mi servivano ancora, ho lasciato quello che avevo già preso sul tapis roulant, ho chiesto scusa e ho detto che ci mettevo un minuto. È scoppiato il casino. Una tipa col cappotto grigio che manda un cattivo odore ha cominciato a sbuffare e a insultarmi, si è messa a urlare, Ma insomma, così blocca tutto! Un'altra vecchia col berrettino in testa ha attaccato la solfa anche lei. La sua teoria è che se tutti fanno i comodi loro in questo paese non ci si capisce più niente. La tipa col cappotto grigio l'ha guardata e le ha dato ragione, si sono scambiate un'occhiata, è scoccata la scintilla, devono avere sentito di essere fatte una per l'altra.

Cappottino grigio e puzzolente si è messa dire: Ah! È sempre così, madame, tutti i guai arrivano da fuori, tutti questi immigrés!

Berrettina ha confermato: Bien sûr! Dobbiamo dire grazie a loro per tutti i problemi che abbiamo oggi!

Cappottina: La Francia! La Francia era un grande paese, finché non... finché... ci siamo capiti, madame!

AH OUI! ha confermato berrettina.

Cappottina ha la tendenza fascista a urlare, berrettina invece parla con tono di voce deciso ma piuttosto piano, in realtà si capisce che avrebbe voluto fare la giustiziera della notte, si sente che la sua vera vocazione nella vita sarebbe quella di torturare e uccidere tutti gli immigrati che circolano liberamente per la dolce Francia, compresa la sottoscritta. Mi sono sentita rimescolare dentro, mi sono sentita punita ingiustamente come alle elementari, mi sono detta, stai tranquilla, e respira, respira, fanculo 'sti fascisti!

Cappottina non si è fermata, ha aspettato il mio ritorno e ha tirato fuori un'altra bella battuta: E chissà le malattie che ci portano!

Io, con la voce un po' strozzata ma che prende volume man mano ho detto che sono cafone e ignoranti, poi già che ci sono ho tenuto una piccola conferenza sulla storia recente della Francia, perché si dà il caso che ho appena visto un lungo documentario su Arte dove si parlava del generale Aussaresses e dell'altro macellaio, il colonnello Massu e dei loro lavoretti a Algeri nel '57, di tutto il loro sistema di torture e esecuzioni sommarie, omicidi mascherati da suicidi e massacri di innocenti. Ho detto questo con le gambe che mi tremano, lo stomaco chiuso, sentendomi come una di quelle matte che tengono i loro comizi per la strada, una di quelle folli piene di borse e sacchetti che ogni tanto mi fermo a ascoltare. Si piazzano su un marciapiede o su una panchina e vanno avanti a imprecare e smadonnare contro il papa, contro il presidente della repubblica, contro la madre, i fratelli o i servizi segreti. Fanno nomi e cognomi, hanno una loro personale telenovela nella testa che va avanti per moltissime puntate.

Nel supermercato si è fatto silenzio, per qualche secondo le vecchie sono rimaste lì zitte e mi hanno guardata, senza sapere se chiamare i pompieri o la polizia. Io voglio andarmene via da qui il più presto possibile. Ho tirato fuori i soldi, ho cercato di cacciare in un sacchetto le cose che ho preso. Mi cade tutto dalle mani, mi si sta annebbiando la vista e le gambe continuano a tremare. Ho sentito una delle due vecchie che diceva sottovoce: Dev'essere una drogata.

Merda, a questo punto non ho saputo più che fare, ho lasciato perdere la spesa, ho sfanculato fra i denti, ho messo la borsa a tracolla. Non ho saputo più dove mettermi, attacco di panico in vista. Mi sono girata e l'ho visto di nuovo. L'uomo dello yogurt mi sta guardando, e ha uno sguardo diverso da quello di tutte le persone che stanno qui nel Franprix e che vogliono la mia pelle. Quest'uomo mi sta sorridendo con tutta la faccia. Ma attenzione, non si tratta di un sorriso di circostanza o di pietà o d'imbarazzo o di solidarietà. Quest'uomo mi sta sorridendo come ti sorride uno allungato accanto a te in un letto dopo che vi siete fatti una scopata di tutta una notte, una gran bella scopata come dio comanda. Ho pensato che quel genere di sorriso non può appartenere a un serial killer, almeno così mi è sembrato.

Mi è venuto ancora dietro mentre tento di uscire da lì, mi ha detto, Non ci fare caso, la tristezza, come l'allegria, è contagiosa.

Se lo dici tu, ho detto io, ma ancora non capisco bene quello che è successo là dentro.

Mi ha detto: Abiti da queste parti?

Sì, gli ho detto io, e mi è piaciuto che fosse passato al tu, qui si passa al tu dopo trent'anni che ci si conosce.

Lui ha detto: Be', ti dico la verità, ti ho già vista qui in giro, ti ho già vista al Franprix e al mercato di Monge, ti ho vista al Jardin des Plantes e una volta mentre uscivi da un portone, in rue Linné.

Che portone? Che stai dicendo?

Impossibile non notarti, a volte parli da sola per la strada.

Oh cristo, ma quale portone, di che stai parlando,

Dai, il portone vicino alla farmacia, rue Linné, ci lavora mia moglie, proprio lì accanto,

...?

Io ci vengo spesso da queste parti, c'è la scuola delle mie figlie, sono sempre io che le porto, le vado a prendere...

Sono rimasta a guardarlo per qualche secondo frastornata, non me l'aspettavo tutto questo. Sono ancora in subbuglio per le vecchie del Franprix, e poi non ci avevo mai pensato a una cosa del genere, che tu sei lì che te ne vai in giro per i fatti tuoi, magari rimugini un po' a voce alta, può capitare, e intanto c'è qualcuno che ti guarda e fa caso a te. Adesso vado, gli ho detto, non mi sento troppo bene, e poi non mi piace essere spiata.

Spiata? Ma che spiata, che dici, ha detto lui.

Adesso c'è un po' di ostilità fra di noi ma sento anche che ci costa fatica doverci separare. Siamo rimasti con una specie di groviglio di parole incastrato nelle nostre lingue, le parole non riescono più a uscire.

Dai, non fare la diffidente, ha detto lui, non fare come i francesi, mi ha detto, e sulla sua faccia è spuntato di nuovo quel cazzo di sorriso, il sorriso da dopo scopata. Mi sono chiesta se quel sorriso poteva nascondere qualcosa di cattivo, ma non mi è sembrato.

...Be', stammi bene, io vado, ho detto.

Oh senti, senti, aspetta un secondo, avevo pensato di invitarti a bere una birra, mi ha gridato dietro.

4.

Dimmi una cosa Tina, e ti piaceva giocare con le bambole?

Certo!

E fare il girotondo?

Con le bambine, sì, e poi ero così sensibile, così delicata, tutto mi poteva ferire!

Oh!

Sì sì, e ti dico di più, il sabato pomeriggio piangevo, piangevo sempre perché volevo andare con mia cugina dalle suore a ricamare, il punto croce. Quanto mi piaceva il punto croce, facevo dei disegni bellissimi a punto croce.

Ho capito, a me invece piaceva giocare con le biglie, mi piaceva menare le mani, anche.

Ecco, ci avrei scommesso.

Perché?

Così.

Oggi che l'inverno si fa sentire, oggi che siamo in mezzo alla bufera e alla pioggia io e la mia amica Tina ce la prendiamo con calma. Ce ne stiamo con le gambe allungate sul tavolino e due cocktail di mia invenzione stretti nelle mani (succo di pompelmo, Campari, vodka e un'idea di seltz). Ce ne stiamo stravaccate sul suo divano giallo a raccontarci le nostre cose. Tina lei è grande, proprio bella, ha questi occhioni viola tagliati all'orientale, un gran petto, sorriso dolcissimo, gambe infinite e capelli lunghi color rame. Fanno circa quindici anni che è diventata una ragazza Tina. Voglio dire, che lo è diventata esteriormente perché dentro lei dice che lo è sempre stata, anche se quando è nata aveva il pisello e si chiamava Alessandro. Adesso la mia amica è realizzata, così dice lei, dice spesso questa cosa che adesso si sente realizzata, anche se è stata dura arrivare fin qui, anche se la vita non le ha fatto sconti su niente, mai, in nessuna occasione. Così dice lei. Ora ha la sua boutique di vestiti carissimi a Oberkampf e il suo giro di amiche che la vanno a trovare, e non batte più da quasi cinque anni.

Sai, mi dice la Tina, il rapporto con la madre è fondamentale, io credo che dal rapporto con lei discendono poi tutti gli altri rapporti che avrai nella tua vita, dopo,

Ti leggo un pezzo di Gertrude Stein?

Gertrude Stein? Perché no,

Te lo leggo prima in francese, ci ho questa traduzione in francese che è molto buona comunque,

D'accordo,

Senti qua che bello, senti: "Tout d'abord, je suis née, je ne me souviens pas mais on me l'a souvent raconté", vado in italiano dai,

Sì, traducilo in italiano, è meglio,

"Prima di tutto sono nata, io non me lo ricordo ma me l'hanno raccontato spesso, sono nata non durante la notte ma verso le otto di mattina. Mio padre, quando aveva da farmi dei rimproveri, mi faceva osservare che, comunque, ero nata perfetta".

Va bene è forte, sì, un gran ritmo,

Ti piace?

Mi piace sì, però senti voglio finirti il discorso,

D'accordo,

Mi ricordo che mia madre mi portava a Roma mi portava lì perché lei andava a trovare il suo uomo, mio patrigno, che stava in carcere a Rebibbia, e a me mi mollava in un bar vicino alla stazione, non mi ricordo come si chiamava mi ricordo che mi mollava lì e io dovevo passare ore e ore in quel bar, e io mi annoiavo, ero infelice, mi sentivo presa e spostata di qua e di là come un pacco, mi sentivo che a lei non gliene fregava niente di me solo mi tirava dietro per non farsi il viaggio da sola, perché in qualche modo io anche se ero solo un ragazzino le davo coraggio, le davo forza,

Per quanto tempo ti lasciava in quel bar?

Ma non so, quattro, cinque ore, più o meno,

Stavi da sola, tutto quel tempo?

No, dopo un po' me ne andavo, avevo imparato a prendere un autobus, me ne andavo in centro per guardare le vetrine, c'erano tutti questi negozi che per me che arrivavo dalla provincia era fantastico, mi fermavo a guardare i vestiti da donna, le scarpe e i gioielli, dio quanto mi piacevano, da lì è nata la mia passione per i vestiti da donna, ci sbavavo,

E tua madre adesso la senti?

Certo, adesso le cose vanno molto meglio fra di noi, ma io ho avuto tantissimo rancore verso di lei, per tanto tanto tempo. Alla fine però lei si è dimostrata una grande! Lo devo ammettere, adesso che ci ha quasi settanta anni si è dimostrata una con due palle così. Ogni tanto mi viene a trovare, sai la prima volta che è venuta si è sparata il viaggio in treno, da Bologna, non ha mai preso l'aereo, così è arrivata qui, ha voluto vedere il mio appartamento, il mio guardaroba, mi ha detto, quanti bei vestiti, Tina! Madonna che roba fine, ma come fai a permetterti tutte queste cose belle!

Ti chiama Tina?

Sì, sono riuscita a fargliela entrare in testa,

Insomma le è piaciuto come ti sei sistemata,

Sì, era un po' tesa, all'inizio era un po' in ansia lei ha sempre avuto questa ansia che ti mette una paranoia addosso che non ne hai idea, comunque le ho detto, mamma! è tutto a posto, le ho detto, rilassati, sono tutte cose che prendo dal mio negozio, sono giovani stilisti amici miei, tutti giovani creatori a cui ho dato una mano, sono cose che vendo, lei si è rilassata, poi la sera l'ho portata a mangiare fuori, siamo andate a un libanese molto buono, quello vicino rue des Rosiers, sai,

Lo conosco,

Lo conosci?

Sì,

Allora sai che è veramente buono, l'ho portata lì, figurati la Rita a scorrazzare per il Marais sotto braccio con me che mi ero messa molto in ghingheri, e poi a mangiare libanese, era diffidente all'inizio, voleva andare via, mi diceva, Ale ma non possiamo farci una pastasciutta a casa? Ma cosa mi porti qui che mi verrà il mal di pancia, poi invece ha cominciato a assaggiare queste mezzè, e assaggia questo assaggia quello si è spazzolata via tutto il menù a 40 euro!

Diavolo!

Sì sì, ci siamo bevute anche una bottiglia di Tavel senza fiatare, giù liscia liscia, era contenta ci aveva tutte le guance rosse, le ho detto ti ricordi mamma quando facevamo il viaggio insieme a Roma che tu andavi a Rebibbia a trovare il Gian? Eh mi ricordo sì. E ti ricordi che andavamo sempre a mangiare a una tavola calda vicino alla stazione Termini? Sì certo che mi ricordo, mi ha detto lei, quello era il più bel momento dei nostri viaggi a Roma. E ti ricordi che io andavo a guardare le vetrine di via Condotti, via Frattina e tutte quelle storie lì? Sì Ale mi ricordo tutto,

Ma allora non ti chiama sempre Tina,

Be', non sempre poi avevamo un po' sbevazzato e le veniva più facile chiamarmi Ale e io non ho insistito, sai com'è,

Hai fatto bene,

Ti pare?

Hai fatto proprio bene.

Ah ma non sai come si è aperta mia mamma, non l'avrei

mai creduto, sai mi è stata a sentire quando le ho raccontato di Pierre, le ho detto tutto, dell'immensa cotta che avevo per lui, anzi altro che cotta io avrei fatto qualunque cosa per lui, io... sai come in quella scena del film di Abel Ferrara, la scena dove Madonna si confessa col regista e racconta che era stata innamorata di uno, un tipo che doveva essere un poco di buono, uno che le aveva fatto molto male, che la picchiava anche, e lei che invece avrebbe fatto tutto, tutto, everything, per quello lì, ecco, io ero esattamente in quelle condizioni,

Ho capito,

Che ci vuoi fare.

È così.

Be', la Rita si è cuccata tutte le mie confidenze, e io ero così contenta, le ho detto, è proprio vero che parlare con la propria mamma non c'è paragone, è bellissimo,

E lei che ti ha detto?

Lei mi ha detto, certo che è bellissimo perché se non ti capisce tua mamma chi ti capisce,

Va bene.

Bello no?

Sì,

E te ci parli con tua mamma, testona?

Noi... ci abbiamo due brutti caratteri.

Mavalà, non ci credo!

È vero,

Io a mia mamma ci ho sempre voluto un gran bene comunque, e non sai quanto mi faceva male prima vederla con mio padre, le botte che le dava, quante ce ne dava, a tutte e due, ma a lei più che a me, io dicevo giuro che quando son grande ti ammazzo, giuro che non vedo l'ora di crescere per dartene tante che ti uccido,

E poi?

E poi è morto da solo, poveretto anche lui, in fondo adesso capisco che era un poveraccio anche lui, era un finanziere, era un finanziere ignorante che veniva su dalla Calabria, però era un bell'uomo, ci ho delle foto se vuoi te le faccio vedere, bruno bruno cogli occhi verdi, somigliava un po' a John Travolta, per dire, io gli somiglio, questi miei occhi viola mi arrivano da lui, mentre il portamento invece è quello di mia mamma, anche il fisico e le tette le ho prese da lei.

Eh?

Va bene, d'accordo, le tette mi arrivano dal dottor Bornstein, però è vero che in famiglia siamo tutte tettone noi donne.

Occhei,

Mia mamma non aveva la mentalità di stare con un finanziere ignorante calabrese, sai in Emilia c'è un'altra mentalità, altri rapporti, e così quando è rimasta vedova io mi dicevo adesso 'sta poveretta tira un sospiro di sollievo, adesso questa povera crista rinasce, e invece niente, si è andata a mettere con un altro testa di minchia, un terrorista, pensa un po', mica cattivo, no, non dico questo, mica come mio padre, mica che la picchiava né niente, era anche uno non stupido, fatto sta che l'hanno beccato, l'hanno spedito a Rebibbia e là sono cominciati i viaggetti per andarlo a trovare, il testa di cazzo. Ma dimmi te che vita che ha fatto mia mamma.

5.

È il 31 dicembre, Serge mi ha telefonato che sta per tornare dal suo convegno di strizzacervelli in Olanda, così mi sono fatta un bagno, mi sono lavata i capelli e al pomeriggio sono uscita di casa. C'è un vento forte che spazza le strade, avvolge e fa rotolare degli oggetti leggeri e delle carte. Queste strade che oggi mi prendono un po' male. All'improvviso il cielo si copre e raddoppia di spessore, una luce scura cade sulle cose come una notte che arriva all'improvviso, alle quattro del pomeriggio. Però mi sono detta che è il trentuno dicembre e la notte ci saranno i festeggiamenti, i botti e i fuochi d'artificio e tutto sarà più allegro.

Mi si sono riempiti gli occhi di lacrime, mi sono soffiata il naso e ho cercato di fare finta di niente, ho cercato di non dare peso a quell'essere così instabile e infantile che ogni tanto si impadronisce di me. Adesso c'è una bella luce fuori, il vento forte ha spazzato via i nuvoloni e di colpo si è aperto un cielo azzurro con un po' di sole. Sono entrata nel bar sotto casa perché non ho ancora mangiato, ho chiesto un piatto di formaggi e un bicchiere di rosso, mi sono seduta e ho cominciato a sfogliare una copia di Libé. Ho mangiato tutti i formaggi, ho preso un altro bicchiere e ho visto il cielo che si è coperto di nuovo all'improvviso di nuvole scure. Mi sono detta, pensa a qualcosa da scrivere, un sacco di volte ha funzionato, se cominci a vedere le cose come se dovessi scriverne, allora tutto si mette meglio. Mi sono detta, per esempio potresti cominciare a pensare a una storia vera o anche inventata, potresti cominciare a rigirartela un po' dentro la testa, prova a mettere giù qualche frase, dei dialoghi, la descrizione di una strada. Potresti provare a descrivere quel tipo al supermercato, con le sue belle mani e il suo giubbino anni '70, e il casino che è successo, oppure prova a descrivere questo momento, il vento, e il sole che va e viene e l'ultimo stronzissimo giorno dell'anno.

Mi è venuta voglia di uscirmene da lì e andare a camminare, anche se si sente il gelo e tutto si è annuvolato di colpo un'altra volta. Ho pagato e mi sono incamminata verso il Jardin des Plantes, e quando mi sono ritrovata di fronte al piccolo spiazzo recintato dove ci sono i miei amici, il gruppo di canguri nani della specie detta Wallabi, li ho salutati, gli ho chiesto se non faceva troppo freddo per loro e poi sono rimasta un po' lì a guardare una cangura col suo piccolo che ogni tanto rotolava fuori dal marsupio. Cadeva giù e poi pian piano riusciva a arrampicarsi e rimettersi al sicuro e al caldo. A questo punto è cominciata la pioggia, all'improvviso mi sono trovata in mezzo a queste gocce di pioggia fitte fitte, corpose, che erano quasi dei chicchi di grandine. Due ragazzi correvano e dicevano che era da un sacco che non nevicava l'ultimo dell'anno. Mi sono tirata su il cappuccio della felpa e ho continuato a camminare, la pioggia mi batte sulla faccia, e sento le guance gelate.

Di colpo si è alzato un vento forte che con la pioggia mista alla neve non mi ha fatto vedere più niente, mi sono sentita ancora più strana di prima, ha cominciato a girarmi la testa e sono andata a sbattere contro qualcosa, un albero o un lampione. Mi sono ritrovata con la faccia dentro la terra. Non sono riuscita a vedere più niente intorno, mi sono solo sentita avvolta dalla pioggia e dal freddo. Ho pensato di essere morta. Oh merda, allora è così morire mi sono detta.

6.

Invece non sono morta, mi sono ritrovata davanti una donna con la testa avvolta in una sciarpa e un uomo che mi massaggia il petto. Mi toccano la faccia, mi tengono una mano e mi dicono di stare tranquilla, che hanno chiamato un'ambulanza. Ma quando l'ambulanza è arrivata io non ho voluto seguirli, non ci voglio andare in ospedale, ho detto, devo essere solo scivolata, forse sono svenuta per qualche secondo, non è niente. Ho detto: Sono solo un po' confusa. La donna mi ha guardata con aria preoccupata, ha detto, Oh, ma mi ha fatto una paura!

Non vuole andare a farsi visitare? Così siamo più tranquilli, ha detto l'uomo. No, non mi va, ho detto, devo essere solo scivolata nella pozzanghera, c'era vento...

Vous êtes sûre? ha detto l'uomo. Ho detto di sì, e intanto ho sentito il ginocchio che ricomincia a farmi male, mi batte fin dentro lo stomaco questo stronzo di ginocchio e mi tira tutta la gamba. Mi sento la faccia sporca di terra. Ho pensato che devo avvertire Serge, che forse è già tornato dal suo convegno e si sta chiedendo dove sono andata a cacciarmi, senz'altro è agitato perché siamo in ritardo con la nostra festa. Ci sono questi amici che devono arrivare stasera, più suoi che miei a dire la verità, e non è che la cosa mi fa impazzire. Mi sono immaginata di arrivare davanti a loro così, con la faccia sporca di terra, i pantaloni rotti e tutta bagnata, una specie di zombi o di elephant woman in mezzo a una decina di psicoanalisti freudiani e lacaniani. All'improvviso, come se fossi davvero ritornata da un viaggio da qualche parte, mi sono chiesta che cavolo ci faccio conciata così, e perché mi metto a parlare con dei canguri. Per qualche minuto, lì in mezzo al fango mi sono fatta molte domande, e forse sono proprio quelle buone.

7.

Serge ha detto: Non dovresti andare in giro sotto la pioggia. Poi ha detto: Non ti sai organizzare, alla festa non c'era abbastanza da mangiare, c'era solo da bere.

Io ho detto: È quello che ci vuole per la riuscita di una festa,

Lui ha detto: Ah, laisse tomber! A questo punto era meglio se andavamo noi da loro.

Da qualche giorno cerco di darmi da fare, cerco di avere una vita dove posso dire a me stessa che le cose non vanno così male. Mi sono messa a preparare le nuove lezioni per i miei studenti. Ci sono queste lezioni per questi aspiranti scrittori organizzate dalla libreria Paris France, una piccola libreria vicino Saint Paul, i corsi sono un po' deliranti, la libreria si chiama così in onore di Gertrude Stein e questo non è male. Per darvi un'idea, leggiamo un racconto o qualche capitolo di un romanzo e poi ci sono io che dico: Che ve ne pare? E loro che commentano: Bello. Oppure: Non mi è piaciuto. O anche: È un po' noioso. O se capita: Angosciante.

Fine del discorso. Ogni volta a me esce questo pensiero: col cazzo che voi diventate degli scrittori.

Oggi mi dico che questi aspiranti scrittori anche se mi sembrano un supplizio può darsi che alla fine si rivelino un buon sistema per tenere i piedi per terra, per non svegliarmi troppo tardi al mattino, per avere un senso pratico e concreto della vita.

Ho scritto un paio di poesie. Bevuto cocktail di mia creazione. Sono andata al cinema con la mia amica Nathalie, c'è l'integrale Rivette alla Cinémathèque, e noi ci siamo fatte L'Amour fou e Haut, bas et fragile, quasi sette ore in tutto. Domani ci aspetta Paris nous appartient (solo due ore e quaranta).

Nathalie ha detto: Jacques Rivette mi piace da morire, farei qualunque cosa, qualunque, pur di poter lavorare con lui,

Io ho detto: Di Rivette starei a guardare anche un film di nove ore e cinquantacinque minuti, sì, uno di quei film dove si racconta solo di un regista di teatro che fa le prove per allestire una qualche tragedia e vuole che gli attori recitino senza recitare, che invece di recitare siano il più *naturali* possibile.

Già è questo che a lui gli interessa, in fin dei conti,

Proprio così.

Siamo passate davanti al Franprix di rue Monge e io ho ripensato a quell'incontro, ho ripensato agli occhi di quell'uomo e alla sua aria sgraziata e alla mia scena da manicomio. Ho raccontato tutta la storia alla mia amica, così ne ho approfittato per rivivermi la scena, ho rivisto tutto ingrandito e rallentato, e allo stesso tempo più lontano e meno imbarazzante.

Ho detto: Sai una cosa, mi piacevano da matti i gesti che faceva quell'uomo, come si muoveva, è questo tipo di cose che mi eccita,

Ti eccitano i gesti?

Sì, non tutti i gesti e non di tutti gli uomini, è chiaro,

Ah sì?

Sì, e poi era bello quando mi ha sorriso, che mi ha sorriso e mi ha guardata dopo che mi sono sparata tutta la mia scena, è stato come trovare una faccia famigliare in mezzo a tutti quegli stronzi,

Senti, perché non ci entriamo al Franprix, che magari lo rivedi.

No, cazzo, no,

Dai, perché no,

Neanche morta, guarda.

Mi ha presa a braccetto e appena siamo entrate mi sono guardata in giro, ho detto: Più o meno è l'ora dell'altra volta,

Magari hai fortuna e lo rivedi.

Ho attraversato con gli occhi il reparto delle verdure e quello dei biscotti e delle merendine, e poi i frighi coi sughi pronti, i formaggi, le mozzarelle e gli yogurt e non l'ho visto. Mi sono sentita delusa, di colpo, un'ondata di tristezza bestiale mi si è abbattuta addosso, poi ho cercato di trattare con la mia socia, la tipa fuori di testa che mi abita dentro e le ho detto di darsi una calmata, le ho detto: che cazzo significano adesso questi castelli in aria per niente, le ho detto: sei sempre la solita, così non va. Eccetera.

Nathalie mi ha detto: Merda! Ti piace sul serio quel tipo, allora,

Oh porca...

Già ti piaceva tanto, eh?

Ma non è neanche tanto bello, dai...

E cosa c'entra!

...A parte quegli occhi blu che diventano grigi come quelli di un gatto e quelle mani lunghe coi polsi larghi...

Oh mon dieu!

Ma poi, chissà chi cazzo è,

Lascia perdere, dai retta a me.

Hai ragione. E chissà chi cazzo è,

Così io e la mia amica ci siamo incamminate verso l'uscita. Ho continuato a buttare occhiate in giro, alla ricerca del mio serial killer di fiducia. Non so come mi sono immaginata fino all'ultimo di vederlo spuntare, lui coi suoi occhi blu e tutto il resto. Fino all'ultimo abbiamo cercato di scendere a patti io e la pazza che mi abita dentro, di non darci troppo addosso, e alla fine quando sono uscita per strada non ho potuto fare a meno di odiare tutto, i marciapiedi e i caffè e i negozi e le vetrine piene di stronzate. Ho cercato di ripetermi il mio mantra, che consiste nel dirmi che la felicità si trova dentro di me, già, proprio qui nelle mie interiora, e che non ci sarà mai nessuno in grado di darmela da fuori. Almeno, non tutta questa felicità che io aspetto sempre che mi inondi la vita così, un giorno o l'altro. Il mantra ha funzionato così così, e mi sono ritrovata davanti alla farmacia di rue Linné, quella vicino al mio portone. Nathalie ha detto: Io vado a casa, mi dispiace che non lo hai visto il tuo bello,

Ma è una stronzata, dai,

Anche tu vai a casa?

Sì,

Be', ci sentiamo,

Ci sentiamo,

Bello Rivette, eh?

Bellissimo,

Io mi sento sempre meglio dopo un film di Rivette, mi sento sempre in armonia col mondo,

Sì, è vero,

Forse fa la meditazione zen o qualcosa del genere, Rivette.

Può darsi, o forse è solo che è un avanguardista radicale,

Che è un po' la stessa cosa, poi,

Be', a domani,

D'accordo.

Passi a prendere un tè al pomeriggio?

Perché no,

Ho avuto voglia di rimanere da sola ancora un po' prima di tornare a casa. Ho fatto ancora due passi, e poi è successo. Le mie gambe mi hanno portata dentro quella cazzo di farmacia, mi hanno posizionata davanti a una donna giovane, biondina, un'aria russa, o polacca, coi capelli tirati su in uno chignon.

Ho dato un'occhiata in giro e ho visto che ce n'era un'altra, di donna, ma questa avrà avuto più di sessant'anni e così ho pensato che doveva essere la prima quella che cercavo, doveva essere lei, e mentre la guardo lei mi posa addosso due occhi chiari e indifferenti e mi chiede se voglio qualcosa. Non ho saputo cosa rispondere così su due piedi, ho dato un'occhiata in giro, le ho detto balbettando: degli assorbenti, e un dentifricio e anche un deodorante. Vorrei farla uscire da dietro il banco, vorrei guardarla muoversi e sentire la sua voce. Mi è venuto in mente di quando ero bambina che entravo nei negozi con mia madre e mi piaceva starmene lì a osservare i gesti e le parole delle commesse dalla mia postazione seminascosta dai suoi vestiti e dal suo corpo. Così, anche adesso, sono rimasta a guardare il movimento dei fianchi, delle spalle e delle braccia della donna che mi sta prendendo un deodorante, un dentifricio e degli assorbenti. Mi è piaciuto come ha fatto, come me li ha mostrati e li ha incartati, alla svelta, con poche mosse li ha avvolti in un pacchetto, ha battuto lo scontrino e mi ha dato il resto allo stesso tempo. Quando sto per uscire sento l'altra che la chiama per nome, dice, Monique... e poi aggiunge qualcosa che non capisco. Mi sono girata a guardarla ancora, lei mi ha visto, io sono rimasta lì immobile col mio pacchetto fra le mani, non ho saputo che fare. Così l'ho salutata di nuovo, ho agitato una mano come una tonta e me ne sono andata.

Per la strada ho pensato ancora a lei, mi è sembrata una donna piena di energia, una che sa come muoversi nel mondo, che sa organizzarsi coi figli, il lavoro, il marito, che sa fare un sacco di cose durante la sua giornata, il contrario di me.

Quando sono arrivata a casa mi sono seduta al tavolo della cucina, ho bevuto un bicchiere di vino e mi sono preparata una piccola innocente canna. Dopo un po' ho sentito Serge che infilava le chiavi nella porta, è arrivato in cucina anche lui, ha la faccia tirata, gli ho detto: Lo vuoi un bicchiere? Lui ha mosso un po' la mano come per dire: un bicchiere! ci manca solo quello!

Io mi sto già rilassando, e mi è sembrato esagerato il modo in cui si dedica al suo lavoro, mi è sembrato insensato. Gli ho detto: Sei fra due pazienti? e lui non ha capito che lo sto sfottendo, perché lui è sempre fra due pazienti. Ha fatto segno di sì, ha detto, Questo è l'ultimo. Io ho detto ancora: Questo fatto di vederti così, ogni tanto per cinque minuti, è un po' una palla.

Lui ha preso un'aria distante e seccata che ho imparato a conoscergli presto. È il suo scudo per difendersi dal mondo quando il mondo bussa alla sua porta.

È un po' assurdo, no? gli ho detto ancora.

Ah sì, allora sai che faccio, ha detto lui, adesso li mando tutti a cagare, i miei pazienti. Ce n'ho uno che vuole buttarsi dalla finestra un giorno sì e uno no, ce n'ho un'altra che ha spaccato la testa alla madre, l'ha mandata all'ospedale con un trauma cranico. È la terza volta che prova a farla secca. Ma io li mollo, e noi ce ne stiamo tutto il giorno qui in cucina a bere vino e farci delle canne, ci mettiamo su Frank Zappa, e affanculo tutto il mondo, eh, facciamo così?

Perché no, gli ho detto io. E comunque questo non è Frank Zappa, è Jimi, come puoi confondere. Ho tirato giù ancora un po' di vino che mi ha fatto dire: Ah porca miseria, tu e i tuoi schizzati!

Lui è andato verso il frigo, ha preso un budino al crème caramel e ha iniziato a mangiarlo con cucchiaiate veloci. Ha detto: Sì, e poi come vivo, vado a fare una rapina in banca? Vado a chiedere l'elemosina?

Uf, subito a farla tragica, subito si arriva all'elemosina! Si può campare anche con poco, sai, e poi tu mica lavori così tanto perché hai bisogno di soldi, tu lavori così tanto perché sei dipendente dal tuo lavoro, e dai tuoi nevrotici, sai cosa sei, sei un workaholic, come dicono gli americani,

Sì, vabbè, io torno giù, ci vediamo dopo,

Salut, gli ho detto io, ho fatto ancora un tiro e poi mi sono messa a smanettare sul lettore di cd. A questo punto ho bisogno di un buon blues psichedelico, ho bisogno di Jimi Hendrix e del suo fuoco. Machine Gun. Il pezzo è partito e io mi sono lasciata andare alle sue storie di fallimenti e incomprensioni, mi sono persa in quella musica pazza e visionaria, nella magia di quella chitarra pronta a esplodere, a rompersi in mille pezzi.

8.

La mia amica Nathalie mi ha chiesto se mi sono arrivate le mestruazioni. No, non ancora, ho detto io, ancora niente.

Ah, e non sei preoccupata? ha chiesto lei,

No, un po', sì... ffff che cavolo ne so, io a questa storia non ci ho mai pensato veramente, ho detto.

Ti rendi conto? Alla tua età! Dovresti pensarci, dovresti rifletterci un po' di più su certe cose,

Alla mia età,

Sì, ormai devi deciderti se un figlio lo vuoi fare oppure no,

Eh cavolo, mica sto in menopausa ancora, no...

E porca miseria, ha detto lei, ma neanche puoi pensarci su troppo tempo,

D'accordo non ho più quindici anni, no,

Appunto, ha detto lei, ne hai quasi quaranta, e ha continuato a bere la sua tisana della linea Sveltesse. Io le ho chiesto, Cosa c'è dentro la tua tisana?

Questa?

Sì, certo,

Questa è roba veramente tosta, una cosa a base di verbena, ibisco, baies de cassis, e c'è anche un po' di tè verde,

È buono quello che ti stai bevendo?

Buono? No. Perché dovrebbe essere buono. È un depurativo, toglie la fame, fa pisciare, è una meraviglia,

Io mi sono messa a seguire col mio canto diciamo personale la canzone che usciva dallo stereo, era una vecchia canzone della Loredana Berté. Loredana ci teneva a ribadire un concetto che ho fatto mio fin dalla più tenera età. Non sono una signora, questo era quello che stava dicendo al mondo Loredana, e io la seguivo.

Ho detto a Nathalie, Senti ma non pensi che i figli sono un paio di manette ai polsi? Non pensi che rompono troppo le palle?

Certo che rompono, ma quando al mattino me li vedo lì nel corridoio che stanno per andare a scuola mi viene un groppo, una cosa di gioia dentro, non te lo posso spiegare.

Senti io questo groppo ce l'ho per altri motivi,

Per esempio?

Per esempio quando leggo una poesia,

Ah, laisse tomber! Non ne parliamo più, guarda,

La mia amica è andata al gabinetto un'altra volta e io mi sono messa a guardare il cielo fuori che è grigio e pesante, mi è mancata di colpo l'Italia. Quando è uscita dal cesso gliel'ho detto, lei ha detto, Ah no, questa volta non puoi dare la colpa alla Francia, eh,

No, certo,

Ti sei sentita così altre volte, hai detto che ti sei sentita così anche in Italia.

È vero, ci hai ragione, ho fatto io, e ho pensato alle altre volte che mi sono sentita così, un po' fuori dal mondo e scazzata con tutto. Però bisogna ammettere che è piuttosto pratico avere dei parafulmini, e la Francia lo è spesso nel mio caso.

Mentre si abbottona i suoi jeans délavé la mia amica fa: Ah io sì che sono giù io sì che mi sento giù davvero.

È normale, visto che sei un'attrice e tutti gli attori passano dei periodi senza lavorare e vagano come cani morti in giro,

Grazie, è proprio un bel paragone, questo sì che mi tira su,

Dai dicevo tanto per dire, no,

Se poi pensi che ci sono delle cane che lavorano sempre.
Cane come?
Che ne so, prendi la Monica Ficucci, che, è un'attrice quella?
Ah non lo so,
E allora se non sai le cose dacci un taglio,
Va bene,
Scusa non volevo trattarti male,
Non c'è problema.
Oooohhhh cazzo adesso non mettermi su il muso dai... ti preeeego.
D'accordo. Be', comunque è vero, girano le palle che una come quella lavora e tu no,
Sì, è normale. Sai che non dormivo più la notte? ora prendo i sonniferi,
Da quanto?
E anche degli antidepressivi prendo, non dormivo più.
Senti ma perché te ne vai in giro coi bigodini in testa? Perché continui a pisciare come una mucca per dimagrire e t'infili quei calzettoni di lana? mi sembri mia nonna, dai... e poi vai a parlare di Monica Ficucci, ma scusa...
Merda non mi dare addosso anche tu dai,
E Hassan, cosa dice il povero Hassan,
Con lui non scopiamo da più di tre mesi, forse quattro,
Be' conciata così devo dirti che non ti scoperei neanch'io.
Ah ah ah.
Dai era solo per farci due risate, l'ho detto così,
Sì...
L'ho incontrato prima nel portone, mi dà l'aria di uno che ce la mette tutta,
È vero,
Mi dà l'aria di uno che cerca di tenere in piedi la baracca, va a fare la spesa, va a prendere i ragazzini a scuola, mi ha dato l'aria di uno che è stanco ma che sta cercando disperatamente di tenere in piedi la baracca.

È così, forse è proprio così, ci hai ragione tu,

Io... sai una cosa io avevo letto un articolo che diceva che la depressione non esiste, che è tutta una montatura delle multinazionali farmaceutiche, quelle merde di multinazionali, ti ricordi, come quando hanno sparso il panico sull'epatite, quando hanno spinto milioni di persone a farsi vaccinare inutilmente, certi si sono anche ammalati per quel cazzo di vaccino. Ah certe volte il mondo mi sembra veramente una grande cloaca,

Occhei, hai finito?

Ho finito.

Meno male,

Perché sei giù?

Ma che ne sooooo...

Dai pensaci un po' vedrai che lo sai,

Ma tu è vero che non ci credi nella depressione?

Chi, io? No, non ci credo. Credo nella tristezza, nella disperazione e nella sfiga mondiale, ma non nella depressione.

Dai sul serio,

Sul serio,

Se ti senti giù cosa fai?

Cosa faccio, dipende, prima me ne andavo a menare le mani, facevo pugilato femminile, poi mi sono rotta anche di quello, mi sono rotta soprattutto dei tipi che venivano in palestra. Se la tiravano troppo. Poi sono cominciate a venirci le attrici e le modelle, a quel punto ho capito che non era più un posto per me. Il pugilato è una cosa seria, mica una roba da modelle.

Eh sì, ha detto la mia amica senza nessuna energia, con la faccia pallida i suoi bigodini in testa e gli occhi che mi sembrano diventati grandissimi. Be', avremmo potuto andarcene anche noi in India, al global forum, no? Ho detto io cercando di tirarla fuori dal buco nel quale era caduta.

Dove?

In India,

E a fare cosa?

Lascia perdere,

No no, togliti quel berretto da baseball e spiegami perché cazzo dovremmo andarcene in India. Tu te ne vuoi andare?

Da qui?

Sì,

No, non per ora,

Se te ne vai tu mi sentirò ancora più persa.

Non me ne vado, dove vuoi che me ne vado...

Cazzo sei fuori, tu, sei davvero fuori, andarcene in India...

E senti chi parla,

Insomma dici che devo darmi da fare, magari fare pugilato?

Fa quello che vuoi però merda, guardati intorno, hai una bella casa, con l'acqua calda e tutto il resto, hai un bel fidanzato e due figli che non rompono troppo le palle, hai fatto anche una parte in un film di Kieslowski, cosa vuoi di più.

Cazzo stiamo parlando di nove anni fa, Kieslowski era nove anni fa!

Saranno nove anni fa, ma è pur sempre Kieslowski! E poi senti anche a me certe volte capita di sentirmi un po' giù, anch'io mi ritrovo a parlare coi canguri al Jardin des Plantes...

Ma che c'entra, ha detto lei, tu il tuo lavoro lo puoi sempre fare, invece io... e ho visto che stava tremando un po', di colpo mi è sembrato di vedere che dev'essere dimagrita di almeno cinque o sei chili negli ultimi tempi, così non ci ho avuto più voglia di sparare le mie cazzate, di colpo mi è scoppiato una specie di istinto materno, a me che non ho mai sentito questa cosa detta istinto materno, mi si è stretto un po' lo stomaco a guardarle le gambe magre e i calzettoni di lana e gli occhi larghi larghi scuri scuri e mi sono sentita grande e protettiva e ho aperto le chiuse. Mi sono detta che ho giusto qualche tonnellata di amore da far colare addosso alla Nathalie. La maggior parte del tempo me le tengo blindate queste tonnellate di sentimento, sapete com'è, ci vuol niente per farle colare addosso alla persona sbagliata e rimanerci male sul serio, poi. Così le ho detto che le volevo un casino bene e che mi faceva male vederla così, le ho detto che sicuramente non so cosa si deve dire alle persone depresse ma non ci posso fare niente. Ho questo brutto carattere che penso sempre prima di tutto a me stessa.

Lei anche ha aperto le dighe e mi ha detto che le sembra di non sentire più niente di niente per nessuno, nemmeno per il suo uomo e per i suoi figli e questo le fa orrore.

Io ho detto, E io? Non conto niente per te? Non mi vuoi bene a me?

Cosa c'entri tu, tu hai questo brutto carattere, a volte ho pensato anche di starti sul cazzo, mi sembra che quando ti telefono non ci hai voglia di parlarmi,

È che non mi piace parlare al telefono, è vero,

Non mi cerchi mai.

È che mi piace starmene per i fatti miei a rimuginare, dietro a una finestra o seduta in un bar,

Lo vedi come sei, come può aiutarmi il fatto di pensare a te e di volerti bene allora?

Prova a fare uno sforzo!

Tu sei fuori, ha detto lei, però è rimasta lì a farsi abbracciare e dare dei colpetti sulle chiappe, a un certo punto si è animata e anche se trema ancora un po' ho visto che ha mollato la tensione alla mascella, si è accesa una sigaretta e ha accavallato le gambe invece di lasciarle penzolare sulla sedia come se non ci fosse più niente da fare quaggiù in questo vecchio mondo per lei.

Cazzo oggi mi stai tirando su, ha detto.

Lo vedi? Andiamo a farci una passeggiata?

D'accordo... no, senti non mi va di uscire, ci guardiamo un film?

Va bene,

Ci guardiamo Trois couleurs?

Kieslowski?

Ahà. Ci guardiamo Bleu, oggi?

Va bene, ho detto io, come se spararmi per la duemillesima volta quel cazzo di film dove la mia amica fa una piccola parte fosse la cosa più naturale da fare oggi. Come se fosse la cosa giusta da fare. Così mi sono piazzata sul divano, ho allungato le zampe sul tavolino, ho tolto il mio berretto da baseball e ho aspettato il film. Non si può avere sempre un brutto carattere.

9.

Quando esco dal portone vengo investita da una folata di vento stile tornado, si è messo anche a piovere, cammino veloce a testa bassa, lottando col cazzo di vento che vuole portarmi via l'ombrello. Ho ancora un po' di tempo prima di andare al mio corso alla libreria, mi sono infilata in un bar e ho ordinato una birra. Ho dato un'occhiata a una copia di Le Monde tutta stropicciata e bagnata. La prima pagina è sui bombardamenti in Iraq, il macellaio texano continua a darci dentro e questa volta gli americani hanno colpito un mercato a Baghdad, ci sono forse venti o trenta o cinquanta morti, poi ci sono quelli che sono rimasti senza una gamba o senza un occhio o senza niente, ci sono le donne e gli uomini e i bambini e i vecchi che sono morti o che hanno visto morire qualcuno della loro famiglia e dei loro vicini di casa, la macelleria continua e sembra che a tutti sta bene così.

Continuo a sfanculare dentro di me e arrivo alla cronaca, leggo il pezzo che parla del serial killer. Il mio cuore ha avuto un piccolo sussulto, l'ho sentito. Sento il respiro che comincia a diventare irregolare, e poi arriva l'aritmia. Una volta sono andata a farmi fare un elettrocardiogramma, solo che il dottore non ci ha capito niente, quello si era messo a sparare dei termini medici che non c'entravano niente, perché il fatto è che il mio corpo mi ha sempre mandato questi segnali così, un po' violenti. Il mio corpo mi ha sempre detto quando stanno per succedere delle cose troppo emozionanti, o che rischiano di farmi un po' deragliare. Quel dottore ci aveva messo due minuti per segnarmi la sua ricetta piena di nomi di schifezze, e io ho buttato via tutto. E no, non ci sto, quel cavallo pazzo che mi scalpita dentro significa che non sono ancora morta.

Cerco di continuare la mia lettura, dicono che ha ucciso di nuovo, è la quinta volta in otto mesi. Il titolo dice: È una giovane maestra la quinta vittima del collezionista di orecchini. Dice: Una giovane donna di 37 anni, maestra elementare, è stata trovata brutalmente assassinata nel suo appartamento in rue Val-de-Grâce. Secondo la polizia l'omicidio si collega agli altri quattro. Alle altre quattro donne che sono state trovate strangolate nelle loro case, gli orecchini strappati con violenza.

Dicono che come per le altre l'assassino è entrato in casa senza forzare la porta, la donna gli ha aperto, hanno fatto l'amore e poi lui l'ha strangolata. A quanto pare non c'è nessun collegamento fra le cinque donne, tranne il quartiere. Che è il quinto arrondissement, dove abito anch'io.

Le indagini proseguono, sono stati ascoltati nuovi testimoni, eccetera. Tutte cazzate per non dire che la polizia è a un punto morto e che si stanno muovendo al buio. Ho guardato la fotografia della donna, il volto sottile, gli occhi scuri, la linea delle labbra che sorridono appena. Ho pensato che là fuori, da qualche parte c'è un uomo che uccide delle donne. Potrebbe essere chiunque, uno di questi che camminano svelti, chiusi nei loro impermeabili, sotto la pioggia, o anche uno di questi che bevono birra e leggono Le Monde. I criminologi hanno ipotizzato che forse potrebbe essere qualcuno che è uscito da una prigione o da un manicomio otto mesi fa. Io non so perché penso sempre a lui come un tipo qualunque, qualcuno con una famiglia, un lavoro.

Mi è successo di nuovo, il cuore ha preso a battere più in fretta. Chiudo il giornale e cerco di respirare, guardo la pioggia che batte sulla vetrina del bar, cerco di rilassarmi. C'è qualcosa nell'aria, o forse sono solo paranoica di brutto. Sono partita col mio dialogo interno e mi accorgo in ritardo dell'uomo con l'impermeabile fermo sotto la pioggia, davanti alla vetrina, che muove le mani nella mia direzione. Ha un modo infantile di starsene lì a prendere l'acqua, sembra un bambino un po' lento che ha riconosciuto la sua compagna di banco e continua a chiamarla per farsi vedere e se ne sta lì goffo e emozionato senza pensare che si sta beccando una febbre o una tosse. Quando capisco chi è mi sento di nuovo spiata e controllata e darei qualunque cosa per scappare da lì, per poter scomparire di colpo. Ho pensato a lui un sacco di volte in questi giorni, ma adesso non ho voglia di vederlo, non in questo momento, con l'aritmia e il respiro corto. Lui ha continuato a muovere la mano e a prendersi la pioggia, ha puntato un dito prima verso se stesso e poi verso il bar, come a dire io entro, vengo lì da te. D'accordo entra, entra, gli ho fatto io, con le mani, come se fosse un vecchio amico e io fossi contenta d'incontrarlo. Dev'essere che in genere non mi piace stroncare i rari entusiasmi che vedo in giro.

Si è tolto l'impermeabile, è un impermeabile con un bel po' di vita alle spalle, con le maniche smangiate ai polsi e due macchie gialle davanti che non riescono a confondersi con la pioggia. L'ha appeso all'attaccapanni, si è aggiustato un po' i capelli che sono peggio dell'altra volta e mi si è seduto vicino. Gli ho detto: Cosa ci fai da queste parti?

Lui ha sorriso e ha detto, Ti ho vista seduta qui, volevo salutarti, ti disturbo?

È che...

Cosa stavi facendo?

Stavo leggendo le notizie, stavo leggendo del serial killer, quello che si porta via gli orecchini.

Tu non li metti gli orecchini?

Eh?

Non ti piacciono?

...

Cosa dicono? L'hanno preso?

No, questi girano a vuoto,

E lui continua indisturbato.

Già,

Sì... senti, a proposito, volevo dirti una cosa...

Sì? ho fatto io.

Be', volevo dirti... per quanto riguarda quello che ci siamo detti l'altro giorno, al supermercato, sai...

Sì? Cosa?

Be' , volevo dirti che se scopro che vai a dire in giro a qualcuno che mangio yogurt dietetici, io ti ammazzo!

Ah, sì, ho detto col cuore in gola. Poi l'ho guardato, c'aveva di nuovo quel sorriso, e c'aveva sempre quei cazzo di occhi incredibili. Gli ho detto: Ma che dici, che vuoi da me?

Ti sono mancato? ha detto ancora lui.

Io ci sono rimasta di sasso, ho pensato che quest'uomo mi segue, mi spia, forse conosce le mie abitudini. Forse ho paura di lui e non mi è facile ammetterlo. Forse mi eccita, e anche questo non è facile ammetterlo.

Ho sempre pensato che le donne devono essere coraggiose, più coraggiose degli uomini, dico.

Ah, e perché?

Perché devono avere più coraggio a sopravvivere,

E tu sei coraggiosa?

Io, be', io forse non ho tanto coraggio, però, proprio per questo, ho sempre cercato di avere un po' di fegato,

Ah sì?

Sì,

E in che modo?

Per esempio, ho sempre cercato di buttarmi nelle situazioni che mi fanno paura, sai, per provare a me stessa di non essere una cagasotto,

Ho capito,

È così.

E fin dove sei arrivata?

Mah...

Qual è la cosa più pazza che hai fatto in vita tua?

La cosa più pazza, spero di doverla ancora fare,

Non ci molli mai tu eh?

Spero di no. La prendi una birra? ho detto. Lui ha detto di sì, e io me ne sono ordinata un'altra anche se non ho ancora finito la prima.

Quando è arrivata la sua birra ha tirato giù mezzo boccale e poi si è pulito con la lingua la linea di schiuma che gli è rimasta sulla bocca, ha dato un'occhiata al frigo dove è piazzata una torta al cioccolato, una tarte aux pommes e un vassoio di dolcetti alla frutta. Ha detto: Ti piace la tarte au chocolat?

Tarte au chocolat? Sì,

Ne prendi una fetta a metà con me?

Io non so cosa rispondere, c'è la confusione che continua, lui dice: Allora? La vuoi o no? E a questo punto ho cominciato a sorridergli e mi sono chiesta se lo sto facendo per piacergli. Dopo un altro paio di sorrisi sono sicura che non solo voglio piacergli a quest'uomo, sono sicura che provo un'attrazione bestiale per lui e che la voglia di sentirlo vicino e immaginarmi di poterlo toccare e essere da lui toccata mi fa sudare le mani e sta cominciando a farmi venire un paio di guance rosse come ai tempi delle medie.

Gli ho detto: Sai una cosa? ho visto tua moglie.

Come?

Sono andata nella farmacia dove lavora, in rue Linné, e l'ho vista.

Ah sì? ha detto lui, stupito, facendo finta di non sembrarlo. Nella sua testa sta cercando di valutare la situazione, si sta chiedendo quanto mi piace già, lui, e quanto sono disposta a andare lontano. Io finisco la mia birra e anche se ho lo stomaco un po' chiuso gli dico che quella torta al cioccolato con lui la divido.

Mentre mangiamo penso che dividere qualcosa con qualcuno forse è già un segno di intimità, è un segno che le cose stanno prendendo una certa direzione, e così dopo la torta non so più che dirgli, di colpo mi sono sentita stretta nei vestiti, mi sono sentita goffa, come se ci fosse qualcosa che vorrei dire o fare e non riesco. Dico che devo andare, che ho da fare.

Lui dice: Perché non ci vediamo qualche volta, possiamo andarcene a un cinema, o a vedere una mostra...

Io dico che non lo so, dico che ho molto da fare. Lui ha sorriso come chi ha capito tutto, poi ha preso un pezzo di carta dalla tovaglietta sul tavolo, ne ha strappato un angolo, mi ha chiesto se ho una penna, ha scritto qualcosa e me lo ha allungato. Tieni, mi ha detto, se vuoi possiamo andarci a fare una passeggiata, o al cinema.

Perché no, ho detto io, tu che film vorresti vedere?

Tieni, tieni questo, prendilo, mi ha detto ancora.

D'accordo, ma adesso devo scappare, sono in ritardo. Aspetta, senti, non ho moneta, hai mica da lasciarmi qualcosa per pagare qui?

Occhei, ho detto io.

Grazie. Senti, aspetta,

Cosa c'è?

E come la mettiamo?

Con che cosa?

Col fatto degli yogurt dietetici, non lo dirai a nessuno, vero?

No, e a chi lo devo dire,

Me lo prometti?

Promesso, gli ho detto. Merda questo è davvero fuori, ho detto poi a me stessa, e mi sono allontanata quasi barcollando, almeno così mi è sembrato.

10.

La notte faccio questo sogno, che c'è Serge che scopre che ho un amante. Nel sogno succede che mi sveglio di colpo e lo vedo allungato vicino a me, se ne sta lì e mi guarda tenendosi su la testa con una mano, ha quei suoi capelli scuri ben pettinati e quel suo naso diritto e gli occhiali da strizzacervelli con le lenti senza montatura. Mi sta studiando in questo cavolo di sogno, io sto dormendo e lui mi studia, cerca di capire con chi ha a che fare, con chi diavolo è andato a mettersi. Ha l'aria di chi non si aspetta niente di buono. Sento di averlo deluso, perché lui dice: Ho capito tutto, sai, ho capito cosa significa per te e chi è lui, ho capito che per te è solo una relazione sessuale. E non ci sto male per niente, sul serio.

E non ci stai male? dico io. No, per niente, fa lui. Poi, come a volte mi capita se sto sognando qualcosa di troppo tosto o troppo insensato, mi sono detta fermi tutti ragazzi, è solo un sogno, è solo uno stronzo di sogno e io non sono finita in trappola, posso uscirne. Ho fatto un salto sul cuscino, il cuore che va a mille, mi sono girata per vedere dov'è finito Serge nella realtà. Lui è lì che russa piano con la bocca un po' aperta, cerco di calmarmi e di respirare, mi avvicino per sentire il suo corpo. Lui mi ha abbracciata nel sonno, ha fatto un gesto strano, come uno che si aggrappa a qualcuno mentre sta per cadere, o per scivolare. Gli dico, mentre sta ancora dormendo, Serge, io non voglio avere dei segreti con te,

Lui fa: Mmm...

Gli dico: Quell'uomo del Franprix, non lo voglio più vedere, sai, penso che cambierò supermercato,

...

Sì, di storie del cavolo ne ho avute fin troppe, mi hanno sempre portato a finire nella merda,

Mmm...

Sai cosa penso? Penso che è ora di cambiare, e che non sono più una ragazzina.

Dopo un po' mi sono riaddormentata. Verso le otto sono arrivati gli operai che lavorano per ripulire la facciata della casa e io ho continuato a dormire in mezzo alla confusione dei trapani, dei martelli e dei miei sogni. Mi sono svegliata tardi, quasi le undici, ho cercato di ricordarmi che giorno è, se ho il corso alla libreria. Vado in cucina e cerco di fare mente locale, metto su il caffè. Quando l'orologio segna le undici e cinque Serge entra in casa, mi dice: C'è un caffè anche per me?

Sei di buon umore? dico io.

E tu?

Come no,

Io ho già avuto tre pazienti, adesso ne aspetto un altro,

...

Oggi cosa fai?

Ah, io oggi forse vado a pranzo con Claire, (glielo dico perché non voglio dargli l'idea di non avere ancora programmato niente della mia giornata).

Serge è partito in quarta con il racconto di un paziente. Non è che me ne parla spesso, così ho pensato che la faccenda deve avere qualcosa di speciale. Anche se sono ancora rincoglionita gli ho detto, Sì? Lui ha detto: C'est incroyable! Sai cosa mi succede con questo? che mi addormento,

Come ti addormenti?

Appena mette piede nel mio studio mi viene una specie di stato comatoso, non mi è mai successo.

E cosa fai, dormi?

No, non è che mi metto lì e mi faccio una dormita, però l'altro ieri è successo, mi sono addormentato, per un paio di minuti ho dormito, non capivo come mai, ho pensato che forse era l'ora, subito dopo pranzo,

Forse non avevi digerito,

Macché, mica è l'unico paziente che ricevo a quell'ora,

Quindi?

La spiegazione digestiva è da scartare. Così mi sono messo a pensare delle cose, a fare delle associazioni spontanee, ho pensato a lui e mi veniva in mente noia, sonno, morte, anestesia, zombi, cose di questo tipo.

Ho capito,

La volta dopo, si è messo a parlarmi di come puliva tutto, a casa sua, diceva che passava ore e ore a pulire tutto con la candeggina e delle spugne speciali, si è messo a raccontarmi di lui che passa la maggior parte del tempo libero a pulire tutto quello che ha in casa con queste spugne speciali imbevute di candeggina, dice che è bravissimo a togliere meticolosamente ogni traccia di sporco, di uso, di vita insomma.

Occacchio,

Così io mi sono messo a pensare che mi faceva dormire come un film noioso, come un libro senza emozioni, mi sono detto che forse era questo, per una specie di capacità telepatica che ho verso i miei pazienti, e che a volte anche loro hanno verso me, io mi addormentavo come quest'uomo addormenta in lui ogni traccia di emozione, di sporco, di vita.

Forse è così,

Io credo di sì,

E adesso?

Adesso mi sa che qualcosa si sta muovendo, mi ha portato un sogno.

Che sogno?

Un sogno dove faceva il ballerino, partecipava a un film di zombi, mentre ballava dalla terra cominciavano a spuntare dei mostri, degli zombi che tornavano a camminare, e poi ballavano con lui, mi sembra che siamo sulla buona strada, che te ne pare?

Degli zombi che si mettono a ballare? Occazzo... ma chi è questo, Michael Jackson?

E il mio caffè?

Ecco prendi il tuo caffè,

Che ne dici, forse siamo sulla buona strada.

Con Michael Jackson, sì.

Hai dormito bene?

Sì, perché?

Facevi un casino stanotte.

Anch'io ho fatto un sogno strano, te lo racconto?

Se vuoi,

Ti racconto solo l'ultima parte. Ci sono io che corro su e giù nell'atrio della Gare de Lyon, corro qua e là e poi c'era un facchino che trasportava le mie valigie, ma le trasportava male, era uno sbadato, non aveva la minima cura, poi sbagliavamo binario, io dovevo rimettere su le valigie che cadevano sempre, le mettevo su e quelle continuavano a cadere, poi siamo arrivati a un binario e lui le voleva scaricare lì, io invece sentivo dall'altoparlante che avevano spostato il binario, che il treno che dovevo prendere non partiva più da quel binario, partiva da un altro e però non riuscivo a sentire quale.

Chissà dove andava quel treno che volevi prendere,

Chissà che razza di casino ci ho dentro la capoccia.

Chissà,

11.

Quando esce il sole a Parigi le cose hanno un altro aspetto. Negli occhi dei parigini si accende un raggio di speranza, se ne vanno in giro con un passo più elastico, i loro corpi e le loro facce tirano fuori un minimo di entusiasmo.

Nel bistrò sotto casa parlano forte, bevono birra e mangiano salades e tutto sembra più umano. Quando esce il sole da queste parti tutto sembra bello. Tutti sembrano ironici, leggeri e indifferenti. Me ne sono andata a Odeon, sono entrata in un negozio dove vendono carte pregiate, matite e penne che costano un occhio della testa. Mi metto a guardare queste cose pretenziose e mi viene voglia di provare a scrivere su una carta di lusso, con una di quelle stilografiche con la pompetta per l'inchiostro e tutto il resto. Poi scarto l'idea, è una cazzata, molto meglio il mio computer vecchiotto. Prendo un paio di quaderni con la copertina nera e i bordini rossi, giusto per comprare qualcosa, e quando apro il portafogli rivedo il pezzetto di carta dove il tipo ha segnato un numero di telefonino. C'è scritto anche un nome, con una scrittura tutta storta e minuscola. Non sono per niente un'esperta di calligrafia, ma questa è una scrittura da disadattati, è la scrittura del tipo seduto all'ultimo banco che non studia la lezione e si addormenta in classe. C'è scritto Felix, con la x staccata da Feli, è una x che se ne sta un po' per conto suo, come un omino con le braccia e le gambe aperte. Mi sono immaginata l'omino che mi sta chiamando, smuove le braccia e mi chiama forte per attirarmi verso di lui, e io non riesco a sottrarmi e fare finta di niente, è una specie di omino vudù.

Quando sono uscita dal negozio ho fatto quel numero. Può darsi che lo sto chiamando solo per vedere se mi ha dato il suo vero numero, questo è quello che mi dico, lo so che è assurdo. Così, quando lui ha risposto sono rimasta lì con l'orecchio caldo incollato al telefono, senza parlare, mi è venuto in mente che non sa neanche come mi chiamo, non ci siamo detti niente. Quando lui dice allô per la seconda volta mi faccio coraggio e dico: Pronto, sono io... sono quella del supermercato... voglio dire, quella...

Lui non ha detto niente, forse non ha capito, io ho detto ancora: Cioè, quella del bar... del... merda! non fa niente...

Sì, ho capito, ho capito, ha fatto lui e mi è sembrato seccato. Io sono rimasta lì col telefono incollato alla guancia e un senso di vuoto allo stomaco, perché cazzo l'ho chiamato. Ho cercato una scusa per chiudere la telefonata e non l'ho trovata.

Lui ha detto: Ci vediamo?

Io ho detto: Quando?

Quando? dimmelo tu.

Visto che lui non ha girato molto intorno alla cosa gli ho detto: Subito se ti va.

Occhei, dove vuoi che ci vediamo?

Possiamo vederci... non lo so.

Senti io sono in macchina, se vuoi ti passo a prendere, dimmi dove sei.

No, senti... aspetta, senti facciamo che vengo io da te, ho detto io, senza capire perché adesso mi escono queste parole.

Da me? No, c'est impossible.

Perché?

Ci sono le mie figlie.

Ah..., e a questo punto mi sono sentita la testa frastornata, non ho capito più bene quali erano le mosse che potevo fare o non fare.

Allora senti, ha detto lui, senti, possiamo vederci fra un'ora, a Bastille, ti va bene Bastille?

Sì, sì.

Io arrivo allora.

D'accordo.

Diciamo quattro, quattro e un quarto.

Sì,

Va bene?

Ma dove,

C'è un caffè vicino all'arsenal, vicino al port de l'arsenal, lo conosci?

Sì, credo di sì,

Se ritardo aspettami.

Ti aspetto non ti preoccupare.

Très bien,

Très bien.

Io mi sento come di passeggiare sul cornicione di un grattacielo, gli dico: Aspetta, aspetta, forse non è una buona idea,

Che vuol dire,

Non sono sicura che sto facendo la cosa giusta.

Ma cosa c'entra,

E poi non mi piace come sono vestita,

Come sei vestita?

Ci ho un piumino rosso, e un berretto da baseball, sono pallida, c'ho l'aria impacciata.

Tu sei matta!

Vorrei sentirmi più in forma.

Allora? Che si fa?

Allora annulliamo tutto,

Ma dai!

È tutto annullato.

Dai, è una bella giornata. A Bastille, alle quattro, stai tranquilla,

Ma è giusto per fare una chiacchierata, niente di...
Oh sì,
Sì.
D'accordo, a Bastille, allora,
D'accordo.
All'arsenal, arrivo alle quattro, anzi facciamo una cosa, aspettami lì davanti, non scendere giù, passo con la macchina e tu sali,
Très bien.
Très bien.
Vado a casa a cambiarmi.
Come vuoi,
E se arrivi prima tu?
Ti aspetto, e tu poi sali in macchina con me,
D'accordo.

12.

Quella che arriva è un'Alfetta rossa, proprio così, una vecchia Alfetta che si materializza direttamente dagli anni '70. Lui mi suona e mi fa segno di salire. E quando entro ad accogliermi trovo anche la Janis Joplin che sta cantando con quella sua voce straziante piena di blues, piena di sbronze senza allegria e di amori di una notte.

Dico: Come mai un'Alfetta rossa?

Lui: Volevo che fosse rossa, e che fosse italiana.

Io: Ho capito.

Lui: Guarda che non è roba da sfigati, ti sembra un po' vecchia ma pensa che questa fa sbavare i collezionisti!

Io: Non ti preoccupare, non sono una ragazza che ha bisogno di macchinoni eleganti,

Lui: Tanto meglio.

Ci buttiamo nel traffico senza sapere dove andare. Giriamo per un pezzo intorno a Bastille, prendiamo per République, andiamo verso la Gare de l'Est finché passando per la rue de Crimée arriviamo a Buttes Chaumont. Lui parcheggia e ci incamminiamo verso il parco, abbiamo un buon ritmo a camminare insieme. L'ho pensato perché c'è questo tipo, uno scrittore francese, che dice che è importante sentire come cammini vicino a qualcuno. Qualcuno che ti piace. Perché se si ha lo stesso passo significa che *ça marche*, che funziona. Et ça marche, anche se abbiamo qualcosa di impacciato nel tono di voce e nel modo in cui ci stringiamo nelle spalle e evitiamo di guardarci negli occhi.

Guarda qua, alla fine ho avuto questa idea cretina di mettermi una gonna, e ora non mi piace, gli ho detto.

Perché, eri agitata?

Prima di uscire ho fumato un po' e mi sono messa a immaginarmi insieme a te, noi due che passeggiamo insieme, dico.

E com'era nella tua immaginazione?

Che cosa?

Be', tutto, tu com'eri?

Nella mia immaginazione avevo addosso questa cazzo di gonna rossa e il cappotto e gli stivali senza tacco,

E ti sentivi bene,

Proprio così, ma ho sbagliato tutto.

Ti dico cosa ho fatto io?

Sì,

Io mi sono fatto la barba e mi sono cambiato i pantaloni, prima avevo i pantaloni gialli di velluto e mi sembravano un po' sporchi, così li ho cambiati, poi mi sono messo i jeans e questo maglione verde acido, che te ne pare?

E poi hai sempre questo tuo giubbino sincero,

Come sincero?

Che non cerca di essere quello che non è.

Ah se lo dici tu,

La maggior parte delle persone si veste con colori scuri, si veste con le giacche, i pantaloni e i maglioni scuri e tu col tuo giubbetto e i tuoi jeans e il maglione verde mi dai l'idea di una persona non complicata, mi metti di buon umore.

Ah bon!

Cominciamo a scarpinare per quest'immenso parco, saliamo e scendiamo, attraversiamo il ponte dei Suicidi, ci arrampichiamo per una salita che arriva fino a una cascata, poi entriamo in un sentiero che si apre su una sfilza di cedri, mentre camminiamo ci sfioriamo le mani, le braccia o le spalle. A un certo punto lui mi è passato davanti, si è spostato alla mia destra e si è appoggiato a un platano. Io gli ho toccato la schiena col mio seno destro, non l'ho fatto apposta, sul serio, e mi sono detta che il corpo è lo specchio della mente, vorrei dirlo a voce alta ma ho paura di non essere capita. Poi gliel'ho detto, gli dico: Il corpo è lo specchio della mente, sei d'accordo su questo? Lui è rimasto un po' a guardarmi, ha detto: Questo parco l'ha fatto costruire Napoleone, lo sapevi?

No,

Ci avevo fatto un servizio fotografico per una rivista, sono un fotografo, te l'ho detto?

No.

Oggi ho fatto delle foto a mia figlia, la più piccola.

Come sono le tue figlie?

Quella più grande ha undici anni, è una con la testa a posto, e quella più piccola ne ha otto di anni, è tutta schizzata, non mangia niente, diventerà una di queste ragazze francesi che pesano quaranta chili.

...

All'inizio degli anni '70, ho cominciato a fotografare quello che capitava, gli alberi, i miei piedi, me stesso, mia madre, la città, mi ero comprato una piccola macchina sovietica, si chiamava Smena 4, me ne andavo in giro per le strade tutto il tempo a fare foto, mi dimenticavo di mangiare, mi dimenticavo di tutto, e era un sollievo. Poi mi è venuto il pallino delle case occupate, ho iniziato a fotografare le manifestazioni, gli scioperi, i manicomi liberati... Sono stato più di un anno a Trieste, nel manicomio di Basaglia, mangiavo e dormivo lì coi matti e gli psichiatri. Quello è stato il periodo più bello della mia vita. Facevamo le assemblee coi matti, le riunioni, ah come mi trovavo bene con Basaglia, per me è stato come un padre, è stato il mio maestro di vita, è stato tutto. Mi ha dato dei buoni consigli sulla vita, su come vivere e come gestirmi le paranoie e le menate varie,

Perché? Che problemi avevi?

Problemi, no, che problemi?

Hai detto che Basaglia...

Non ho detto niente, ho detto solo che per me è stato un padre e un maestro. È un santo quell'uomo! UN SANTO, CAPISCI! Che grand'uomo!

Va bene.

Abbiamo continuato a camminare nel vento freddo e lui mi ha sfiorato un fianco con la mano. Ho inciampato, sto quasi per cadere e mi sono appoggiata a lui, gli ho toccato la schiena e un braccio. Attraverso il giubbotto ho sentito i muscoli delle braccia e ho immaginato di toccargli la pelle calda. In questo pomeriggio di gennaio, nel parco Buttes Chaumont, Paris, France, il mio corpo e il mio desiderio stanno diventando qualcosa di un po' ingombrante. È per questo che mi sono attaccata alle spalle di Felix, gli ho cercato le labbra e lui si è girato e mi ha abbracciato la vita, mi ha tenuto per i fianchi e mi ha dato due o tre o quattro baci senza usare la lingua, come per controllare se le mie labbra scottano, e se può tenermele fra le sue così all'improvviso ma anche come chi si è detto che un uomo che cammina per un parco con una donna in una giornata di vento freddo e le sfiora il seno e i fianchi prima o poi la prende quella strada, la strada delle labbra e dei baci, e allora non c'è più niente da fare perché come dico la natura parla con voce più alta della filosofia e ormai le nostre mani e le nostre pance e le nostre lingue ci sono scappate di mano, e ci hanno trascinato veloce da un'altra parte e non ci fermiamo più.

Gli dico, Forse dovevamo farlo subito, dal giorno del supermercato,

Lui ha detto: Quello che vorrei sapere è come faremo a tirarlo fuori adesso,

Ah è facile, ho detto io, lo tirerà fuori chi lo sa fare meglio.

Mi ha presa per mano e mi ha tirata verso un punto del parco che ha in mente lui. Abbiamo continuato a salire per un po' e a un certo punto lui ha detto, Vieni. Siamo scesi verso un angolo riparato, mi ha fatto fare un salto e poi mi ha tirata giù per farmi sedere vicino a lui, la terra è fredda, e lui senza aspettare mi ha aperto il cappotto, mi ha alzato il maglione e mi ha scoperto il reggiseno. Me lo sono aperto e lui ha detto: Sì, non farti pregare, non essere timida, poi ha preso le tette con le mani e ha cominciato a baciarmele. La mossa successiva è stata che si è aperto il suo giubbino e mi ha stretta forte contro il suo maglione verde. Ha detto, Vienimi sopra.

Io ho detto, D'accordo.

Stai bene?

Non è niente male quello che stai facendo,

Cosa? ha fatto lui con la faccia che gli è completamente cambiata, non ti piace?

Al contrario,

È bello?

Sì, ma se arriva qualcuno?

Chi se ne frega, dai,

D'accordo, allora dammi un altro bacio, gli ho detto mentre ho continuato a guardarmi quei suoi occhi da vicino.

13.

Bisogna dire del nuovo bacio che è cominciato con le sue labbra che hanno l'aria di volerci girare un po' intorno, alle mie. Sono labbra che fanno quelle che passano di lì per caso e si mettono a giocherellare con le altre labbra così tanto per passare il tempo, come se non avessero niente di meglio da fare. Dopo un po' so che ho aspettato abbastanza e comincio a fare sul serio.

Ma sei un'impaziente! mi ha detto lui, mi ha preso i capelli, me li ha tirati e mi ha spostato la testa all'indietro. Gli ho visto gli occhi diventare cattivi. Mi ha detto: Ah, cazzo, senza troppa fretta, eh.

Va bene, gli ho detto, ho deciso di fargli fare, vuole sentire di avere lui in mano la situazione. Le nostre bocche se ne stanno unite come una ventosa e rimaniamo lì a scambiarci la saliva e il fiato, lui ha tirato fuori la punta della lingua e si è messo a passarla all'interno delle mie labbra, sopra e sotto. Mi è venuto da ridere, lui si è allontanato e è rimasto a guardarmi di nuovo per qualche secondo, io mi sono sentita la faccia piena di saliva, ho pensato a una pubblicità dove ci sono dei bambini che si stanno strafocando di cioccolata. Gli dico: Cosa c'è? Lui fa, Fammelo tu, fammi la stessa cosa con la tua lingua. Io gli ho detto va bene, ma poi non gli ho fatto proprio lo stesso, gli ho fatto qualcosa con una variazione mia, gli ho morsicato le labbra piano prima sotto e poi sopra e ogni tanto gli ho passato la lingua sulle labbra senza infilargliela dentro la bocca e poi ho continuato a morderlo.

Lui mi ha stretta forte, di colpo, contro il suo corpo, mi ha tenuto per le braccia e mi ha detto: Prendimi l'uccello, mettimi una mano sull'uccello, e io mi sono chiesta se avevo abbastanza stile nel fare queste cose, se non sono un po' fuori allenamento, e se non ho perso il mio smalto di un tempo. Però gli ho sbottonato i jeans e mi sono intrufolata dentro, gli ho spostato le mutande e l'ho trovato, questo uccello, che è piuttosto grosso, non grosso forse come me l'ero immaginato, però l'ho sentito che era tutto per me e ho sentito che sono io che gli faccio quest'effetto e lui Felix mi ha stretto ancora di più e io mi sono dimenticata per un po' di essere un casino emotivamente e fisicamente, mi sono dimenticata di quando mi sento inadatta a tutto e intrappolata nei miei pensieri, perché adesso tutto mi sembra semplice e chiaro. Mi sono fermata e lui ha detto: Oh no no, non ti fermare adesso, e mi ha infilato una mano dentro la gonna, ha oltrepassato i collant e le mutande e mi ha accarezzato con forza, ha detto: Sei completamente bagnata. Proprio così, gli ho detto io. Oh cazzo, tu parti presto. Io non gli ho detto niente, lui ha detto ancora: Parti sempre così presto?

Sì, credo di sì, gli ho detto, o forse dipende dalle circostanze, ho aggiunto per non essere sgarbata. Lui mi ha messo una delle sue cosce fra le gambe e l'ha spinta forte. Dopo qualche secondo si è staccato, mi ha tolto gli stivali e i collant e anche le mutande e io sono rimasta quasi nuda col cappotto aperto e il maglione tirato su e la gonna rossa tutta accartocciata, fa un gran freddo ma a quanto pare siamo passati al di là, abbiamo raggiunto uno stato di coscienza che va al di là del freddo e del caldo, come certi lama tibetani. Mi ha detto, Vienimi sopra.

Aspetta, aspetta, il preservativo, ce l'hai? gli ho detto.

Merda, cazzo, no, non ce l'ho,

Ce l'ho io, ce l'ho nella borsa, aspetta, eccolo qui.

Sei molto organizzata, sai,
Sì,
Davvero sei sempre così organizzata?
No, non so organizzare niente ma ho la fobia delle malattie,
Lui si è spostato, ha aperto il cappuccetto e se lo è infilato piano, lo ha srotolato con attenzione e un certo stile. Ti posso aiutare? gli ho detto, No, vieni qui, ha detto, vienimi sopra, e mi ha tirato verso di lui. Io gli monto sopra e comincio a muovermi e in questo momento cerco di essere completamente me stessa e di non sentire vergogna per le tette che rimbalzano e per essere così tutta eccitata e bagnata, con la faccia rossa e stravolta, in un parco pubblico.
Te lo giuro, è più bello e più romantico di qualunque altra scopata, ha detto lui.
È meglio di qualunque altra cosa,
Sul serio?
Sì,
Mi ami? mi ha chiesto lui, e io giuro che non ero preparata a una domanda del genere.
Sì, sento amore, gli ho sparato.
Lo dici sul serio?
Questa cosa mi fa felice,
Ma non lo chiami amore sul serio,
Forse non è giusto chiamarlo amore, forse se comincio subito a chiamarlo così poi ci starò male, mi farai soffrire oppure sarò io a farti soffrire.
Allora non parliamo, tu rilassati non pensare a niente e andrà tutto bene.
D'accordo,
Non pensi a niente?
No. Però mi vengono in mente delle cose, mi vengono delle immagini, che tu mi porti della panna montata, dei dolci e me li metti in bocca. Io ho la bocca rossa scarlatta.
Ça c'est beau!

...
Mi fai vedere come sei quando vieni?
Va bene ci provo.
Io credo che non riesco a tenermi per molto, posso venire?
Sì.
Sicura?
Mi piacerebbe che aspettassi ancora un po',
Non lo so se ci riesco,
Ma se non ce la fai vieni.
Ci rifacciamo dopo,
D'accordo.
Ci rivedremo ancora?
Certo, perché no,
Ti va di mangiare insieme quando abbiamo finito?
Sì.
Sì?
Sì, ma perché parli di mangiare adesso?
Cerco di distrarmi per non venire subito,
Ho capito.
Oh! Oh ma merde!
Cosa c'è?
Sto venendo.

14.

Quello che sostiene Claire è che per una donna che ha superato i trentacinque è impossibile imbattersi in un maschio che sia libero e allo stesso tempo anche decente. Dice: Dopo i trentacinque o sono sposati, o sono gay o sono psicopatici. Spesso sono anche tutte e tre le cose insieme. Dice: A questo punto preferisco starne un po' alla larga. Dice: Con la mia poliziotta invece non era niente male, solo che mi turbava quando si fermava a dormire da me che metteva la pistola e le manette sul comodino. Mi svegliavo e la prima cosa che vedevo aprendo gli occhi era una cacchio di pistola e un paio di manette e ogni tanto pensavo di essere finita in una puntata lesbo di Starsky e Hutch.

Sono andata a aspettare la mia amica Claire all'uscita della biblioteca George Sand in rue Nationale dove lavora, siamo andate a pranzo in un bistrò lì vicino. Claire lei è alta, forte e attraente e così poco francese. Ha questi capelli scuri corti e spettinati e questi occhi neri siciliani con le occhiaie perenni stile Magnani, ha il collo lungo e le labbra sottili, è dotata di un'eleganza naturale, per questo non ha bisogno di usare nessuno di quei cliché che le persone usano per attirare uomini e donne. Claire ha una grande distanza da tutte le persone che lavorano lì con lei, dice che si sente lontana lontana da loro, ma non è una cosa che ha cercato, è solo che trova le sue colleghe un po' ottuse. Ha lasciato il suo paese siciliano più di quindici anni fa, quel paese dove la madre francese era andata a ficcarsi dopo avere conosciuto suo padre. La mia amica ha lasciato la Sicilia e l'Italia e ha sempre lavorato sodo. Sola com'è lei con la figlia di nove anni, deve farcela. È sola, ha divorziato cinque anni fa, è senza appoggi, senza uomini e senza famiglia, completamente dépaysée. Ha avuto una lunga storia con una poliziotta bretone e adesso si tira dietro solo tipi allucinanti, quasi tutti sposati. È così Claire.

Oggi per puro sfizio ha su un paio di jeans rotti sotto le chiappe e una giacca di Chanel comprata di seconda mano. Le piacciono i jeans rotti, i tatuaggi, la pelle e i vestiti di Chanel. Abbiamo ordinato due birre e due omelette al formaggio e lei ha detto: È vero che gli uomini sposati fanno soffrire però presentano anche qualche vantaggio.

Io dico: Questo lo dicono tutte le donne che hanno amanti sposati, giusto per consolarsi.

Lei dice: No, considera questo, che da loro non ti aspetti niente.

Non è vero, ti aspetti sempre un sacco di cose.

E poi hai più tempo libero per te.

E quasi sempre quando non sai che fartene,

Poi non devi cucinare ogni giorno per loro.

Forse bisogna liberarsi dall'idea di cucinare per loro.

Sì, ciao. E senti, pensa alle vacanze,

Che cosa?

Pensa che te le puoi fare tranquilla da sola o con un'amica, che è sempre più divertente che farle in coppia.

Su questo posso essere d'accordo,

Sai che ho notato una cosa, quelli sposati hanno un odore migliore,

...?

Sì, i maschi non fanno mai troppo caso all'igiene, non come le donne, e c'è anche la questione delle loro giacche, puzzano, puzzano di sigarette e di sudore e non pensano mai a portarle in lavanderia, le mogli invece queste cose le notano.

Ho capito,

Ad ogni modo, senti, non voglio avere nessun uomo, per un bel po' io con gli uomini ho chiuso. Non voglio amanti, né storie del cazzo, non voglio niente di niente.

E di una bella scopata che ne diresti?

Ah! Quella non si rifiuta mai, per principio,

Ti devo raccontare una cosa, una cosa che mi sta succedendo,

Aspetta un po', ci hai qualcuno per le mani?

Sì, proprio così,

Aspetta aspetta, è uno dei tuoi studenti, non dirmi che ti scopi uno dei tuoi ragazzini,

Ma chi quelli? Quelli sono dei ritardati mentali, dai, no,

No?

No, è un tipo che ho conosciuto al supermercato,

Merda, solo tu riesci a rimorchiare al supermercato,

Dimmi una cosa, non l'hai più visto quello, il filosofo peloso?

Ah, andato, smesso.

Sì?

Sì, ha detto di nuovo, si è tirata giù mezzo boccale di birra e poi ha aggiunto: Be', per dirla tutta è lui che ha smesso.

I suoi occhi neri lo sono diventati ancora di più, ora sono lucidi. Claire è una tipa super tosta che ogni tanto si apre in squarci di sentimentalismo, con queste radici siciliane e francesi forse ha un po' di problemi a far quadrare il tutto. Io mi sono avvicinata a lei, le ho carezzato un braccio, lei mi ha guardata, ha detto: Tranquilla, tranquilla, è tutto sotto controllo,

Claire è una donna che si sa organizzare, questo mi piace, e poi lei mi piace anche perché sa essere spavalda, e sa fare dei buoni resoconti delle sue storie di sesso con maschi o femmine. Ha questo grande gusto per il dettaglio, e sa anche dire di se stessa che tutto lo sprint che esibisce nelle sue storie di sesso è solo la tattica di una donna che pensa di avere poche possibilità di essere davvero felice con qualcuno.

Hai notato, mi dice, hai notato che ci sono sempre più persone che dicono che stanno bene da sole, che hanno imparato a starsene da sole?

...

Non l'hai notato?

Può darsi,

E secondo te cosa significa?

Secondo me è un'evoluzione della specie,

Sì, brava, invece secondo me è che si ha sempre meno voglia di farsi coinvolgere nelle storie, di affrontare sofferenze e angosce,

Dici?

Sì, proprio così,

Occhei,

Di stare vicino a qualcuno,

...

E insomma col tipo del supermercato cosa succede, avete scopato?

Ah oui!

E ti piace,

Mi piace, però ha qualcosa che non mi convince,

Che vuol dire,

A volte mi sembra uno fragile, altre volte penso che potrebbe diventare violento,

Come tutti gli uomini,

Ma no, dai,

Non è uno che ha paura di te sessualmente?

Che cosa?

Con Jean-Luc è finita proprio per questo, sai,

Dici che è finita per questo?

Be', io ero troppo aggressiva a letto, questo mi ha detto lui, gli dicevo sempre, fai questo, non fare questo, vai così, toccami qui,

Be', ma è normale, che cazzo,

Sì, dai se non fai un po' di manovre come cazzo fai a venire, ti pare?

Direi!

E questo a lui non gli piaceva, si sentiva un uomo oggetto, così mi ha detto,

Be', forse è andata meglio così allora,

Sai cosa ho capito nella mia non piccola esperienza di maschi? Che se riesci a dire cosa ti piace fare, e cosa hai fatto, in passato, lui si sente subito sminuito e scappa via.

Ha fatto una pausa, si è scolata quello che resta della sua birra, ha mosso una mano per chiederne un'altra, mi ha detto: Un altro giro? Io ho detto di sì.

Ha detto: Però c'è un fatto, se trovi uno giovane, più giovane di te, dico, allora gli puoi dire tutto, anzi in genere sono contenti d'imparare da una donna, da una che sa fare, gli viene anche la gratitudine,

Questo l'ho notato, ho detto io, ho notato che i migliori scopatori sono quelli che hanno avuto donne più vecchie di loro.

Cosa ti dicevo!

Il migliore che ho conosciuto forse era uno che aveva avuto come maestra un'attrice ninfomane di sessant'anni.

Ecco, vedi,

A parte questo, come ti butta?

Mia figlia sta crescendo, rompe le scatole, vuole vedermi con un uomo, vuole un maschio per casa. Io non glieli faccio più conoscere perché lei si affeziona subito. Le avevo fatto conoscere quel demente e lui le aveva detto un sacco di cazzate,

Che tipo di cazzate?

Ma che ne so, che eravamo una famiglia, che adesso poteva contare su di lui, le aveva riempito la testa. E lei, sai cosa ha fatto la piccola, è andata dalle sue amiche a scuola, è andata in giro a dire a tutti che ora aveva un nuovo padre. Che era un uomo importante. Quel cazzone! Le ha raccontato un sacco di stronzate.

Anche a lei.
Sì, anche a lei.
Questo è crudele.
Non dirmelo a me, merda l'avrei ucciso con le mie mani, le palle che ha raccontato a me, passi, ma a mia figlia, merda no, fare soffrire una bambina non glielo perdono.
Porca puttana,
L'avrei ucciso, te lo giuro,
Sai Claire io ti ammiro, sei davvero forte, te la cavi bene tu e il piccolo mostro, io al tuo posto credo che sarei già colata a picco,
Con le befane che ci sono alla biblioteca, poi!
Ho visto che aria tira, con tutte quelle befane,
Le avrei già mandate tutte quante a fare in culo se non avessi mia figlia, passerei il tempo a bere birra e a disegnare, ma che vuoi farci, con lei non me la sento più di fare la frichettona, non me la sento, coi figli è così, ti inculano. Ti fanno un sorriso e sei inculata per il resto della tua vita.
Tua figlia è simpatica, e non rompe troppo le palle,
Sai cosa mi ha detto, quando ho mandato al diavolo il tipo e lui continuava a telefonarmi e io non rispondevo lei mi fa: mamma, rispondigli, almeno una volta, ognuno ha diritto a avere una seconda chance nella vita,
Cacchio, è forte la ragazzina,
A nove anni. Le ho detto, molla l'osso, non ti permettere di avere più buon senso di tua madre,
Questa ce lo mette in culo a tutti, secondo me stai facendo un buon lavoro con lei, fa niente che vede solo donne in giro per casa, vedrai che se la caverà bene.
Che ne dici non mi viene su fuori di testa?
No, no, vedrai che se la caverà bene, anch'io non ho avuto granché come presenza paterna nella mia infanzia,
Infatti guarda come sei messa,
Ah va' al diavolo,
Dai era una battuta,

A proposito dov'è adesso il paparino?

Ma che ne so, qualche mese fa è arrivata una cartolina dalla Colombia,

Mica male,

Se mica male,

Sta davvero girando il mondo,

Si è licenziato dall'ufficio e si è messo a girare il mondo. L'ha detto e l'ha fatto,

Così,

Così.

Non si realizzava a stare in famiglia. Non gli piaceva lavorare e tornare a casa la sera e stare in famiglia. A me invece sì, eh certo, a me mi deve piacere per forza.

Ah che storia...

Era lui che voleva fare i figli, si era comprato anche la macchina per fare il pane in casa. Lasciamo perdere, guarda. Non farmici pensare.

Non pensiamoci va'.

Io quasi quasi telefono alla pulotta,

Perché no,

In fondo è stata una bella storia. In fondo, una delle storie migliori che ho avuto.

C'era solo il fatto della pistola sul comodino,

Già e le manette,

Mh,

...

Be' perché non le proponi di lasciarle all'ingresso, o di metterle da qualche altra parte...

15.

Le emozioni sono come i pensieri, vanno e vengono, arrivano e spariscono, posso provare a starci dentro a un'emozione e poi a tirarmene fuori, non bisognerebbe dare troppa importanza a un'emozione non bisognerebbe starci attaccati come dei poppanti o dei disgraziati, questo è quello che mi dico allungata nel mio letto, appena sveglia, pensando a quello che è successo due giorni prima con Felix. Potrei anche non vederlo più, mi dico, però poi mi è difficile non registrare una specie di euforia a livello di interiora, per fare un paragone, qualcosa che assomiglia a un'attesa, o a una promessa, tipo quando ero ragazzina e dovevo andare a scuola e starmene lì chiusa dentro un banco e di colpo a un certo punto il colore del cielo cambiava, l'aria era diversa e mi veniva in mente che fra pochi giorni la scuola sarebbe finita e ci sarebbero state giornate di mare e di sole e di libertà.

Così ho preso il telefono e l'ho chiamato, e lui ha detto che è sorpreso e forse non se l'aspettava di sentirmi. Ha detto: Se non mi cercavi più comunque ti venivo a cercare, venivo a suonarti alla porta.

Che porta?

Che porta, alla porta di casa tua,

Bell'idea, questa sì che sarebbe stata una grande idea,

Avevo paura che eri un'altra di quelle stronze,

Che dici,

Quelle tipe che ti scopano, ti strizzano come un limone e poi ti mandano a fare in culo.

Oh,

Ma io sono come un cane, anche se mi dai un calcio io non scappo, non vado a nascondermi. Io torno, io resto.

...

Senti dove vuoi andare? Dove vuoi che ti porto? Vuoi che scappiamo via di qui? Vuoi che ce ne andiamo via da questa città del cavolo?

Siamo arrivati insieme all'appuntamento. Questo Café Décadence non è che mi piace troppo, è un caffè pieno di fumo coi divani scassati, con l'aria finta malmessa, è un caffè che vuol fare finta di essere malmesso per farti capire quanto invece sia moderno e branché. Ci siamo noi e un'altra coppia, lui l'uomo dell'altra coppia ha l'aria del chirurgo o del presentatore televisivo abbronzato anche d'inverno, lei la ragazza, una gazzella dalla pelle scura, ha questa incredibile fronte bombata e qualche chilo di rossetto lucido che le fa scintillare le labbra. Le sta parlando fitto il suo presentatore o chirurgo tardone, le sta martellando l'orecchio sinistro e lei tiene la testa bassa senza dire una parola, sembra seccata di tutto, seccata anche di essere così bella e di avere tutti gli uomini del mondo incollati al culo. Ha il piccolo broncio delle ragazze francesi, è un po' abusato questo broncetto fra le *filles,* ma mentre in altre situazioni diventa patetico, nel suo caso può andare. Io ho detto a Felix, Secondo te lei è una modella? o un'attrice?

Secondo me è una puttana,

Ma dai,

Ci scommetti?

No, però posso scommettere cosa le sta dicendo lui,

Sentiamo,

Le sta dicendo qualcosa tipo: non devi pensare che non ti

amo, è solo che non posso divorziare perché ci sono i figli, come faccio a lasciarli? Loro senza di me non riuscirebbero a vivere. Poi forse le sta promettendo una vacanza insieme.

Dove?

In Guadalupe,

Pensi che si stanno dicendo questo?

Sì, le sta promettendo la Guadalupe.

Felix si è tolto il suo giubbetto, li ha guardati ancora e ha detto: Magari no, magari è lui che vuole mandarla affanculo e non sa come liberarsene. Quello è uno col grano, quello di figa ne trova a palate, ne trova quanta ne vuole.

Può darsi, ho detto io, ma tu la manderesti affanculo una ragazza del genere?

Io? Be', io non faccio testo,

Già,

Cosa vuol dire quel già?

Niente, vuol dire già,

È arrivato il cameriere e Felix mi ha chiesto cosa prendo, io ho detto che voglio un caffè.

E dai prendiamoci qualcosa di dolce, qui hanno dei buoni dolci, ha detto lui.

Allora prendo una tarte aux pommes.

Io un caffè con la panna e una fetta di torta poire-chocolat.

Il cameriere è italiano, quando mi ha sentito parlare si è messo a sorridermi a tutt'andare. Poi non ce l'ha più fatta a tenersi, ha gridato: Italiana!

Già, ho detto ancora una volta.

Ah ti porto una bella fetta di torta, mi ha detto, e mi ha strizzato l'occhio. Poi ha aggiunto, Eh! Noi le torte le facciamo bene, siamo tre italiani qua, due in cucina più io,

Sì, ho detto, e ho continuato a fissare le spalle e le labbra di Felix, ho sentito qualcosa rimescolarsi dentro, gli ho sorriso e sono rimasta in silenzio nella mia contemplazione. Lui ha detto: Cos'hai fatto l'altro giorno?

Quando?

Quando, dopo che ci siamo lasciati, cosa hai fatto quando sei tornata a casa?

Sono rimasta un po' in cucina, da sola,

Fai sempre così?

Quando?

Quando torni a casa,

Tutte le volte che torno a casa, vuoi dire?

No, quando torni a casa dopo che hai visto qualcuno,

Qualcuno chi?

Qualcuno,

Tipo un'amica, un...

Uno che ti scopi,

Occazzo.

Cosa?

No, niente,

Dimmi,

Dico che forse sei partito col piede sbagliato.

In che senso?

Che cominciamo male,

Perché?

Sai cosa ho voglia di fare adesso? Ho voglia di alzarmi e lasciarti qui, ho voglia di lasciare perdere il caffè e la torta e tutto il resto,

Dai siediti, sta' buona, che cazzo! Non ti si può dire niente!

Merda, ho detto, e non so perché ho sentito gli occhi che si riempivano di lacrime all'improvviso. E questo porca miseria non mi piace, non mi piace neanche un po'. Mi sono sentita tradita dalla mia socia interna, la matta ha già preso in mano la situazione, è passata ai comandi e io non posso farci più niente. A questo punto posso solo accumulare brutte figure e prendermelo in culo un'altra volta.

Felix ha detto: Dai, scherzavo, raccontami cos'hai fatto ieri,

Ah va' al diavolo.

Ti chiedo scusa.
Va bene.
Dai parla, e non fare quella faccia adesso.
Occhei,
Allora?
Allora cosa?
Cos'hai fatto dopo che ci siamo visti? Sei tornata a casa,
Io ho ricominciato a parlare perché quest'uomo mi attira come una calamita. Ho detto: Quando sono tornata a casa Serge stava ancora lavorando, poi è salito a salutarmi, aveva qualche minuto fra un paziente e l'altro e è venuto a salutarmi, ha lo studio al piano di sotto,
Cosa fa tuo marito?
Fa lo psicoanalista,
Ma dai!
Ti sembra strano?
Non ti ci vedo con uno psy,
Qui sono tutti in analisi,
E che tipo di analisi fa lui?
Che tipo?
Sì,
Vuoi dire di che scuola è?
Sì,
Lui è lacaniano, però anche freudiano, così dice, ogni tanto mi parla di... ma lasciamo perdere,
Lasciamo perdere, sì, e poi che hai fatto?
Be', niente, sono rimasta seduta in cucina a bermi un bicchiere, mi sentivo un po' svuotata, mi sentivo senza più forze,
Eri triste?
Forse, un po'.
Ah allora non ti è piaciuto?
No, perché?
Ti è piaciuto ma eri un po' triste,
Sì, un po',
Be', anch'io ero triste quando ci siamo lasciati.

Perché?

Perché mi sono accorto che avrei voluto sapere se mi amavi, avrei voluto sapere se questo poteva durare, e avevo anche paura che non mi avresti più richiamato.

Ho capito.

Comunque se non ti facevi più viva io ti avrei ritrovata lo stesso, non ti liberavi tanto facilmente di me,

Ah no?

Cosa c'è? Mi vuoi mollare?

Cosa significa?

Vuoi mandarmi affanculo?

Ora?

Sì,

Io... no, non ti voglio lasciare,

Sicura?

Sì,

C'est bien,

...

Ti dico la verità, avevo paura che eri una che voleva solo scopare, che ti andava solo di farti una scopata con uno che non conoscevi, tanto per viverti una fantasia,

Sul serio pensavi questo?

Sul serio.

Dai, ma non ti fare delle paranoie,

Se lo dici tu.

Però voglio dirti una cosa, sinceramente, questo fatto di scopare con uno che non conosco è vero, è una mia fantasia, ogni tanto ci penso, almeno, ci ho pensato.

Quando?

Mah, in passato, mi è capitato di pensarci.

E con me ci sei venuta per questo?

Come per questo?

Per viverti questa fantasia?

Dai lascia perdere, non ci imbarchiamo subito nelle paranoie, facciamo filare un po' lisce le cose, non ti piacerebbe?

D'accordo.
Va bene?
Però è chiaro che quando uno si lascia andare è più vulnerabile. Io mi sento così almeno, adesso mi sento come una canna al vento, mi sento che non ho più appigli. Forse ti capita anche a te, no? Tu non ti senti più vulnerabile?
Sì, un po'.
Ma va', non è vero, non mi sembri più vulnerabile.
Tutti lo sono in certe situazioni.
Tu non mi sembri vulnerabile manco per un cazzo.
Forse solo all'apparenza non lo sembro,
AH! E poi?
Poi cosa?
Hai dormito bene?
La notte?
Sì,
No, macché, non riuscivo a addormentarmi, anche se ero stanca e mi facevano male le gambe. Avevo i muscoli delle gambe e il legamento del ginocchio che mi faceva male. Poi mi sono addormentata, in genere dormo bene, ma l'altra notte ho fatto sogni agitati,
Ah lo vedi, non ti ha fatto mica tanto bene scopare con me. Ti sei già pentita!
Ah non capisci niente, vai va'...
Sei pentita,
...
Dai non scocciarti, stavo scherzando,
Senti una cosa, stamattina mi sono guardata allo specchio, sono rimasta un po' a guardarmi allo specchio e sai cosa ho visto, ho visto che più invecchio più assomiglio a mia madre, è incredibile, non ti pare?
No, non mi sembra incredibile,
Tu a chi assomigli? Somigli più a tuo padre o tua madre?
A mia madre, ci somigliavamo tantissimo, due gocce d'acqua. Era me coi capelli lunghi, in pratica.

Be' io non le assomigliavo così tanto, mi è venuto di botto, lo trovo così strano...

Non è strano, è tua madre,

Non ti capita mai che se ti guardi a lungo nello specchio finisce che non ti riconosci più, non ti succede mai che c'è un momento che ti dici ma chi cazzo è questo qua dentro allo specchio?

...

Non ti succede mai?

Forse, sì, mi era successo quando avevo la palle piene di tutto, adesso non ci ho voglia di pensare a quella cosa,

Occhei, ma che cosa?

Un periodo sono stato in ospedale, ero un po' giù di testa, ora non ne voglio parlare.

...

Be', è la tua vita comunque, accettala no,

Ma che cavolo dici?

Accetta la tua vita.

Sì, la accetto. Sai una cosa,

Sì?

Mentre cercavo di addormentarmi ho provato a pensare a te, a rivedere la tua faccia, ma non ci sono riuscita, nella mia testa, voglio dire, non sono riuscita a vederti, eri solo un'immagine sfuocata, sai tipo quelle foto che non ti riescono.

Te l'ho detto che faccio il fotografo?

Sì, me l'hai detto.

Quando ero ragazzo ho fatto qualche buona foto, avevo fatto una serie di reportage per Libé sui manicomi liberati, su tutte quelle esperienze di superamento dell'ospedale psichiatrico, ero venuto anche in Italia, a Trieste da Basaglia, mi piaceva quel genere di foto,

Me l'hai detto, e poi?

Poi sono nate le mie figlie, io e Monique ci siamo sposati, e per tirare su un po' di soldi ho dovuto fotografare le modelle, gli attori, gli uomini politici, tutta questa merda. Mia moglie voleva una famiglia, voleva una casa e dei figli e voleva avermi vicino. E PORCA PUTTANA HA AVUTO TUTTO! Ha vinto lei su tutta la linea, e io ho perso.

Ma perché devi mettere le cose in questo modo!

Allora non parliamo della mia vita famigliare. Tu che fai? Non mi hai detto niente di te,

Senti una cosa, sai cosa mi piacerebbe? Mi piacerebbe non sapere niente di te. E non dirti niente di me.

Niente?

Be', il meno possibile.

E perché?

Perché così l'amore non scapperà.

Cosa significa.

Mi piacerebbe così.

E non posso sapere niente, non posso sapere un cazzo di te?

No, sarebbe più bello.

Non mi va, non ci sto. Non mi piace così,

...

Nemmeno qualcosa del tuo passato? No, Non ci sto allora, allora non voglio più vederti.

Va bene dai, raccontiamoci qualcosa,

Ah cazzo!

Però ti avverto, io posso dare tante versioni di quello che ho vissuto, a volte non lo faccio per dire balle, faccio così anche con me stessa,

Perché, pensi che raccontare qualcosa di te ti rende più debole?

Sì, lo penso,

Così mi stai dicendo che di me non ti fidi, mi stai dicendo che non posso capirti. Pensi che sono uno stupido? PENSI CHE SONO UN COGLIONE?

Dai, non ci rimanere male adesso, e non gridare, cazzo!

Oh, allora lascia perdere... no, guarda se ho toccato il tasto sbagliato lascia perdere...

Non ci rimanere male,

Non ci rimango male,

Dai, è una specie di gioco, come dicevi prima, è solo una mia fantasia...

Vabbè, fanculo.

16.

Sono rimasta un po' a guardarlo quest'uomo che non conosco bene ma con cui sta già succedendo qualcosa e mi sono detta che la passione ti entra nel sangue come una droga e una volta che l'hai presa non puoi più farne a meno. Gliel'ho detto, gli dico: Quando la passione ti entra nel sangue è come una droga e non puoi più farne a meno. Il cameriere ci sta mettendo sul tavolo le torte e i caffè, e Felix mi dà un'occhiata senza dire niente, è un'occhiata di chi si sta chiedendo se faccio sul serio o sono solo stronzate. Guarda dentro la sua tazza di caffè e dice: Sì, però non mi dici niente di te, mi vuoi tenere lontano dalla tua vita, tu e il professore, quel tuo marito del cazzo.

Ahi ahi, ho detto, poi mi è venuto da ridere, questo Felix mi è sembrato completamente pazzo, mi ha messo di buon umore. Mi è piaciuto di nuovo come quando mi ha guardata al supermercato. Ho tirato fuori quello che voleva, qualcosa su di me. Dico: Un po' di storia della mia vita? Eccola qua. Quando ero bambina mio padre ogni tanto spariva, c'era e non c'era, a me era simpatico, ma lo trovavo davvero fuori di testa, mia madre ogni tanto c'aveva delle storie, c'aveva degli uomini che le giravano intorno, cuciva i vestiti e altre cose per dei tipi coi soldi. Era giovane perché è rimasta incinta di me a diciassette anni, era una ragazza infantile, io ero molto più assennata di lei.

Dimmi una cosa che ti ricordi di lei,

Mi ricordo per esempio che ci divertivamo a andare a rubare la frutta dagli alberi dei contadini.

E poi?

E poi, l'infanzia... vediamo, a scuola la maestra aveva fatto il recinto per i meridionali, c'era l'apartheid.

Senti ma un ricordo bello non ce l'hai?

Sì, ce l'ho, dietro casa mia c'era un prato, c'erano gli alberi e i prati e poi un bosco dove d'estate apriva un camping e lei andava a lavorare in quel camping. Io me ne andavo in giro da sola tutto il tempo, lei lavorava e a me piaceva andarmene in giro, abbracciavo gli alberi, guardavo l'erba, passavo del tempo a guardare i puntini bianchi nel cielo, i fili d'erba e le formiche, forse ero fuori di testa anch'io. Mi piacevano da morire le nuvole, l'aria e il vento. Ho scritto delle poesie su tutto questo,

AH! Scrivi poesie allora?

Se...,

SEI UNA POETESSA!

Non gridare,

Merde alors! Me ne dici una?

Di che di poesia?

Sì dai,

Ma no, non mi va adesso,

Dimmi cosa dicono allora, dimmi di che parlano.

Non mi va...

Allora te ne dico una io di poesia, è mia, l'ho scritta io. Te la dico?

Perché no.

È l'unica che ho scritto eh, l'ho scritta da ragazzo, sempre il periodo di Trieste. Vado?

Vai tranquillo,

Sì. Eccola, dice: Trieste è la più bella città del mondo. Perché Trieste è stata la prima città del mondo dove han chiuso il manicomio. A Trieste adesso la follia potrà esprimersi non più solo attraverso la malattia.

È finita?
Sì, che ne dici?
Be', mica male,
Non ti è piaciuta,
Non è vero,
Adesso dimmene una tua, dimmi almeno di che parlano le tue poesie,
Be', una parlava di quello che ti ho raccontato, di una ragazzina in mezzo a un prato, eccetera,
I poeti sono delle anime solitarie, è vero?
A volte sì e a volte no,
Ma tu ti sentivi sola. Stavi tutto quel tempo da sola, che cavolo facevi. Ti sentivi sola, è chiaro.
Non lo so, forse non riuscivo a immaginarmelo nemmeno che potevano esserci altri tipi d'infanzia... può darsi che non ci pensavo a quel genere di cose, sai, stile un padre e una madre, una famiglia normale...
Però è vero che non eri come tutti gli altri, senz'altro non eri come la maggior parte dei bambini,
Ma che ne sai tu,
È chiaro, dai, si capisce al volo che sei una fulminata,
Ma senti questo,
Secondo me non eri tanto normale.
Va bene,
Vedi, ti sto facendo l'analisi, sono bravo a fare lo psy?
Tu sei fuori.
Va bene, mi fermo.
Ti piace così?
Così come?
Che ci raccontiamo le infanzie,
Sì mi piace, se ci diciamo i ricordi, le cose e quello che pensiamo, se ci diciamo tutte le sofferenze che abbiamo avuto mi piace un casino.
Va bene.
Ti dico io cosa mi ricordo?

Perché no,

Mi ricordo che da bambino avevo sempre difficoltà a esprimermi, per via del mio schifo di carattere. Sono sempre stato solitario e introverso, preferisco star solo, la gente non la sopporto, mi fa fatica sopportarla. Mi sono sempre sentito estraneo in tutto e per tutto. È che nessuno mi ha mai dato la possibilità di esprimere i miei sentimenti, quello che ho dentro. Nessuno mi ha mai permesso di esprimere i miei bisogni, e tutte le mie sofferenze. Capisci?

...

Te ne racconto una, da bambino avevo un cane, un piccolo cocker marrone e bianco, l'avevo chiamato Lucien e lui era il mio compagno di solitudine, era l'unico cazzo di amico che avevo. Sai cos'è successo?

No,

Me l'hanno ucciso. Me l'ha ucciso la mia vicina di casa.

Come te l'ha ucciso? Sei sicuro?

Ero sconvolto, e da lì ho cominciato a odiare tutto e tutti. Ho pensato mille volte di ucciderla quella troia. L'avrei uccisa con le mie mani.

Andiamo bene.

Poi mi ricordo i miei che litigavano sempre, mio padre che aveva altre storie, mia madre che piangeva e che era infelice e ce la dovevamo sorbire io e mio fratello. Mio fratello se n'è andato subito di casa, è andato via a diciassette anni. Mio padre lavorava fuori, stava sempre in giro, faceva il rappresentante di vini, poi, quando tornava a casa, certe scenate del cazzo, a me mi veniva il mal di pancia. Appena lui tornava da un viaggio io correvo al cesso con delle scariche di diarrea pazzesche...

I tuoi sono francesi?

Mio nonno, il padre di mia madre, era italiano, mio padre invece arrivava dalla Polonia, è venuto in Francia da piccolo, prima della guerra, con la sua famiglia, era polacco quello stronzo di mio padre. QUEL VIGLIACCO! Senti vuoi saperne un'altra?

Dimmi,

Quel porco a un certo punto lo abbiamo scoperto, si era fatto un'altra famiglia, andava in giro e c'aveva un'altra donna, vicino a Bordeaux. Ci aveva anche due figli, capisci? Lo abbiamo scoperto, mio fratello l'ha scoperto e l'ha sputtanato. Mia madre ci è uscita di testa, per un periodo era proprio fuori. Lei giù di testa e io sempre con la diarrea, poi la gastrite.

E tu dove sei nato?

Sono nato in Alsazia, un paesetto vicino Strasburgo, Ribeauvillé, uno di quei posti in culo al mondo,

C'è il vino buono lì,

E già, ci sono solo i vigneti,

Stavi lì da bambino?

Sono stato lì tutta l'infanzia e l'adolescenza, poi sono venuto via. Guarda, non esiste un posto più squallido al mondo, te lo dico io. Io ci butterei una bomba atomica in quel posto.

Siamo rimasti un po' silenziosi attaccati ai nostri caffè alle nostre torte e alle nostre infanzie, a lui gli è venuta una faccia tesa, gli è venuto una specie di tic alle mani, si è messo a aprirle e chiuderle a scatti, poi ha cominciato a sbattere gli occhi e a fare dei piccoli movimenti con le spalle. Ha finito di bere il suo caffè e poi ha detto: Mia madre è morta. Se n'è andata l'anno scorso, anzi nove mesi fa. Adesso sono nove mesi.

Ha detto: Ho le chiavi della casa dove abitava. Non l'affitto, non l'ho ancora affittata, non ci riesco. Mia moglie dice che la devo vendere, perché non l'affitterò mai. Quella stronza sa pensare solo ai soldi!

...,

Vuoi che ci andiamo? Ci verresti con me?

Va bene,

Potremmo starcene tranquilli lì,

Perché no,

Non ti fa impressione sapere che mia madre è morta in quella casa, nemmeno un anno fa?

In certi momenti la morte non mi fa proprio paura.

17.

E insomma questo penso io del mondo, che è come un libro, e se lo capisci, se capisci questo sai che a questo punto si tratta solo di saperlo leggere, di saperlo interpretare, perché noi in questo libro ci mettiamo le nostre parole, ci raccontiamo quello che stiamo vivendo o che abbiamo vissuto e così è tutto uno scrivere e un cancellare e un riscrivere. Questo è quello che penso e così lo dico ai ragazzi del corso, sto dicendo ai tipi questa mia teoria, loro mi seguono con aria diffidente. È già da un po' di tempo che parlo di Kafka, loro dicono che vogliono conoscere delle tecniche per scrivere dei romanzi o dei racconti che *funzionano*, vogliono diventare scrittori famosi. Io dico, Ma sentite, leggiamo Kafka, invece. E poi comincio a citare quel pezzo, è una cosa che lui ha scritto verso il 1923 dopo che aveva rotto con Milena, e allora il vecchio Franz dice, lo cito un po' a memoria, dice, "Si vive insieme per avere un compagno, per avere, nella solitudine di questo mondo, qualcuno che confermi il nostro diritto all'esistenza con tutti i nostri errori e le nostre manchevolezze, perché cos'è l'amore se non un sostegno della vacillante fiducia in noi stessi? La più grande promessa che due amanti possono farsi è contenuta in questa frase che si dice di solito ai bambini: io non ti lascerò mai. In questa frase è compreso quasi tutto, il rispetto, la sincerità, la fedeltà, l'appartenenza, la decisione, l'amicizia...", così, ho citato questo pezzo e ho commentato, prendendo spunto da lui, da questo principe della malinconia, ho detto che probabilmente è difficile quando la tua vita è stata segnata dall'abbandono e dal dolore, quando sei cresciuto in mezzo alle sfighe, senza molto calore, è difficile poi, dopo, non farsi mille paranoie quando amiamo qualcuno. Parlo così, a ruota libera, mi annoio troppo se non faccio questo, se non lego la letteratura con la vita, come se la letteratura non nascesse da lì, poi, allora dico ancora che per Kafka il mondo delle relazioni è sempre una dimensione inquietante dalla quale difendersi per non essere distrutti. Aggiungo che personalmente non me la sento di dare torto al vecchio Franz e a questo punto i ragazzi si sono un po' incupiti, così ho cercato di fare qualche battuta come faccio ogni tanto, dico, Va bene, questo è quello che diceva il vecchio Franz, magari aveva il suo punto di vista un po' tetro sulle cose, non dico di no, ma il fatto è che a tutti noi capiterà in un modo o nell'altro di essere abbandonati e di avere a che fare con la delusione e la solitudine nella vita. Non capitava solo a lui. E inoltre noi non possiamo neanche scriverci sopra quegli incredibili racconti che scriveva lui.

Dunque? ha detto Cécile, la biondina saputella con la pelle quasi trasparente a cui sono sicura di non piacere.

Dunque noi ci tiriamo su lo stesso e continuiamo fino al prossimo incontro.

Al prossimo incontro qui, al corso di scrittura?

No, al prossimo incontro nella vita, dico.

E al nuovo incontro cosa succederà?

Può darsi che anche questa volta rimarremo delusi,

E allora che ci resta da fare? ha detto Marc in fondo alla sala,

Ah... io non lo so, ho detto io.

Insomma, lei dovrebbe darci anche qualche consiglio, no? Ha tirato fuori tutta questa roba sull'amore, sul bisogno d'amore e poi...

Sì... be', forse... potremmo cercare la liberazione nel nirvana, oppure anche nelle droghe leggere, forse è meno complicato...

Un ragazzo con gli occhialini alla John Lennon si è messo a ridere e ha scrollato la testa, ha l'aria di pensare con questa non andremo molto lontano. Gli altri non hanno apprezzato la battuta. Cécile ha detto ancora: Ma non è possibile! Ma che sta dicendo?

La sera ho riferito il fatto a Serge che subito non ha commentato. Dico: Allora non ti frega niente di quello che t'ho raccontato. Lui ha detto, No, al contrario, solo che è normale che i ragazzi si aspettino qualcosa di positivo da te.

Io non ho risposto niente. Lui è partito in quarta. È andato avanti per un po' a parlarmi del senso d'identità precario che esce dai romanzi, dai diari e dalle lettere di Kafka. Sa un sacco di cose su Franz, ma non mi piace per niente come ne parla. Sembra uno psichiatra che tiene una conferenza su un paziente davvero schizzato, e questo cosa c'entra con K. Io se volete saperlo penso che la letteratura deve starsene lontana dagli strizzacervelli, perché questi invece che rilassarsi e godersi la poesia che alcuni scoppiati hanno saputo spremere fuori dalla vita cosa fanno, cercano di prendere uno scrittore, allungarlo sul loro lettino e ficcargli in culo qualche complesso edipico. Così hanno risolto tutto.

Gli dico, Senti tira il freno, non stiamo parlando di un malato. Non puoi fargli un'analisi, lui non ci verrebbe a allungarsi sul tuo divano.

Non gli sto facendo un'analisi,

Un romanzo o una poesia non li puoi ridurre a una formuletta.

Ma chi sta dicendo questo!

Non sarà che voi, voi cosiddetti dottori dell'anima non lo sopportate di scoprire quali meraviglie e quali profondità riescono a uscire dalla testa di matti, ubriaconi, tossici, e depressi di tutti i tipi?

Perché adesso sei così aggressiva, eh?

Io non sono aggressiva, io voglio solo fare giustizia,

Oh mamma mia,

Comunque ti ascolto, va' avanti,

Cosa vuoi che vado avanti adesso,

No, dai, finisci, dai non volevo essere aggressiva,

Be', cercavo solo di dire che questa sensazione di inadeguatezza, n'est-ce pas, questa cosa così forte che esce in tutto quello che ha scritto,

Sì,

...lui parla sempre di questo in rapporto al padre, e agli altri, all'autorità, in genere, ecco, e io penso che forse deriva dal dolore e dalla frustrazione che doveva sentire in famiglia, perché la sua famiglia non lo accettava com'era, non lo amavano così com'era.

È così, probabilmente è così,

Di solito di fronte alla mancanza d'amore succede proprio questo, che ci si sente inadeguati. Se ricevi solo freddezza e indifferenza finisci per sentirti colpevole, ti dici che il non ricevere amore dipende da te, è colpa tua, è un tuo difetto.

Va bene.

Poi si è tolto gli occhiali e mi ha guardata. Un gesto che non mi piace. Merda, sta facendo lo psicoanalista con me. Mi dice: Il punto è, perché da un po' di tempo ti sei fissata su Kafka?

E su chi mi dovrei fissare scusa?

Tu fai sempre così: prendi qualcuno che sta male, prendi un disadattato, un incapace e te lo adotti, fai sempre così, ti ci identifichi.

E allora?

Le tue amiche, per esempio, e quel tipo allucinante, quel *travelo*...

Si chiama Tina e non è un tipo allucinante, è una mia cara amica,

È un travestito!

E con questo?

Con questo io dico che sarebbe ora di smetterla di identificarti coi relitti della terra.

Ho capito, ho detto. A questo punto voglio tagliare corto. Certe volte ho la sensazione di essere piombata in questa casa da un altro pianeta. Certe volte mi sento come Kevin Spacey nel film K-Pax, lui che è arrivato quaggiù da noi e può viaggiare nel tempo e nello spazio in pochi secondi, può mangiare una banana con la buccia eccetera. A Kevin queste cose sembrano normali, per via del fatto che arriva da K-Pax, mentre ai terrestri le cose normali sembrano altre. Sono andata in cucina a prendere un bicchiere e una bottiglia di vino, poi ho chiuso a chiave la porta d'ingresso. Sono andata a prendermi dei fogli da disegno e delle matite e ho cominciato a disegnare seduta di fronte a Serge. Lui si è rimesso a leggere.

Gli ho detto: Tu non vuoi mai controllare se la porta è chiusa a chiave, te ne freghi, ma se poi ci succede qualcosa di terribile non sarà colpa mia. Io controllo sempre quando mi ricordo. Pensa un po' se un giorno entra un ladro e ci uccide tutti e due. Con le impalcature ci vuole niente, sale sulle impalcature, arriva alla finestra della cucina, o del bagno, la apre e entra in casa. Prima ruba degli oggetti, si prende il mio computer magari, e il lettore di dvd, e poi delle altre cose, per esempio tutti quegli aggeggi che ho tenuto per ricordo, tutto quello che per me è il ricordo del nostro matrimonio, anzi il simbolo del nostro matrimonio...

Addirittura il simbolo!

E questo ladro arriva e si ruba tutto e poi se gli gira ci ammazza pure, ci fa fuori tutti e due, nel sonno, pensa un po',

Ma no, non penso che gli converrebbe ammazzarci, penso che al massimo prenderebbe quello che gli serve e poi se ne va, non gli conviene rischiare un omicidio, anzi un doppio omicidio,

Ah se lo dici tu...

Ma perché devi pensare ai ladri adesso? Cosa stai facendo?

Io sto facendo un disegno. È il tuo ritratto.

Mmm... Comunque senti, se questo ladro entra dalla finestra a che serve chiudere a chiave la porta d'ingresso?

Io sono rimasta lì con le spalle al muro, messa al tappeto dalla logica di Serge. Lui ha continuato a leggere senza muoversi dalla sua poltrona, ogni tanto dà dei piccoli colpi di tosse. Nel disegno cerco di far venire fuori quell'aria che ha certe volte, l'aria di uno che vuol dimostrare al mondo che lui ha capito come vanno le cose e riesce a tenerle per le palle. Mi sono accesa una sigaretta, mi sono versata ancora un po' di vino e ho messo su The Yellow Shark, l'ultimo capolavoro che il vecchio Zappa ha composto e diretto. C'è quest'orchestra coi controcazzi, l'Ensemble Modern, e c'è lui Frank che domina il tutto con la sua perfetta pazzia e la sua maestria, con Elmore James da una parte e Stravinsky dall'altra.

Gli ho detto, Cosa stai leggendo?

Ho scritto un articolo per la mia rivista,

Che rivista?

Per Essaim,

La tua rivista freudiana,

Veramente per essere precisi Essaim è una rivista lacaniana,

L'hai finito?

Devo finirlo entro un paio di giorni,

Io invece sto facendo il tuo profilo a matita.

Sì,

Dimmi una cosa, un analista freudiano può essere anche lacaniano? E un lacaniano può non essere freudiano?

Be', è difficile immaginare un lacaniano che non sia anche freudiano,

E il contrario?

Dipende, ma anche un freudiano ortodosso finisce per essere influenzato dal pensiero di Lacan, che ormai è molto diffuso e mi sembra difficile non tenerne conto del tutto.

Ho capito.

Io sono lacaniano, ma la mia comprensione di Lacan presuppone la conoscenza profonda di Freud.

18.

Sai una cosa Serge, pensavo una cosa,

Dimmi,

Te la posso dire o ti disturbo,

No, dimmi.

Io ammiro molto questa tua capacità di tenerti lontano dalla merda delle persone, mi dai l'aria di uno che ha imparato a tenersi lontano dalle paranoie e dalle merde che gli altri cercano di buttarti addosso appena ti acchiappano.

Be', devo farlo, per forza,

Tu sei uno che non si fa buttare addosso la roba degli altri,

Posso farlo solo se vengo pagato per questo, *et encore!*

D'accordo, io devo ancora imparare a farlo, perché non ci riesco, l'unico modo che ho per non farmi sommergere dalla merda del prossimo, per non farmi coinvolgere nelle loro negatività è tenermi alla larga dalla gente,

Eh sì lo so,

È piuttosto antipatico ma è così,

Vedrai che imparerai,

E cazzo imparerò, mica ho sette anni, quando cazzo imparo se non ho imparato fino a adesso?

Vedrai che con un po' di buona volontà...

Vuoi sapere una cosa, penso che tu come strizzacervelli ti fai pagare un casino, sei troppo caro, sai, mi ha detto

Claire che quello di una sua amica prende la metà di quello che prendi tu,

Ma io sono il migliore! O almeno, uno dei migliori,

Sì anche uno dei più modesti,

Proprio così,

Sì, senti una cosa, ma se uno ti paga tu sei disposto a prenderti addosso tutti i suoi guai, tutti i suoi cazzi?

No, non è esatto, nel rapporto con un paziente io cerco di fare il possibile per lui, o per lei, gli metto a disposizione tutto quello che so, quello che ho imparato, ma ci dev'essere come uno sdoppiamento, per me è chiaro che io non sono la loro mamma, né un loro amico. Io non li amo, i miei pazienti. Li rispetto, questo sì, ho il massimo rispetto per loro e per i loro problemi e...

Non li ami?

No, certo che no, sennò sarebbe impossibile per me fare un'analisi.

Ho capito, però senti secondo me tu sei un po' tirchio,

...

E anche un po' mammone,

Occhei,

Serge, senti una roba,

Dimmi,

Sai, a volte mi chiedo se posso chiederti dei soldi e...

Che domande, certo che puoi chiedermene,

No, è che...

Hai bisogno di soldi?

No, non proprio, voglio dire, è che per esempio sai quando tu volevi farmi andare da uno strizzacervelli e secondo me era una cazzata?

Sì?

Be', avevo anche pensato che oltre che una cazzata era incredibilmente caro... te l'avevo detto, no?

Sì, me lo ricordo,

Be' cazzo secondo me è vero che siete incredibilmente cari,

Hanno un significato quei soldi, no?
Sì, ma volevo dire un'altra cosa, volevo dire, quella volta che ti avevo detto dell'analista che avevo visto tu mi avevi detto che non me ne avresti dati di soldi.
Certo che non te ne davo di soldi per la tua analisi, quella è un'altra cosa, quella te la devi pagare tu,
Sono così le regole?
Proprio così.
Ho capito... Be', sai, con i corsi alla libreria non è che tiro su molto, le mie entrate sono quelle che sono, non spendo tanto però, spendo un po' in queste cose, qualche bottiglia, dei dischi, libri, e quando tu mi avevi convinta a vedere un analista mi sono detta che questa faccenda di pagare così tanto se uno sta male non mi sembra giusto,
Io non ti ho *convinta* a andare da un analista,
Claire dice che l'analisi è quella cosa che fanno le persone ricche, belle, che non sanno cosa fare.
Se lo dice la tua amica...
No, non dico convinta però mi avevi caldamente raccomandata. E l'altra volta, quando mi hai mandato da quel macellaio, quello che voleva impasticcarmi di psicofarmaci? Cazzo! Meno male che ho buttato via tutto!
Insomma chérie, se una persona mi dice che ha dei problemi, che si sente a disagio nel mondo, che non vive bene io tendo a pensare che è venuto il momento di fare un po' di chiarezza nella sua vita, nella sua storia, ti pare?
Certo, tu tiri l'acqua al tuo mulino,
Tiro l'acqua al mio mulino, perché no,
Be', scusa ma perché adesso pensano tutti che se hanno bisogno di parlare con qualcuno dei propri cazzi devono per forza andare a pagare un medico, o un analista? Perché cazzo io non posso parlare con te, per esempio, ti ho sposato perché mi sembravi uno che ci capisce qualcosa delle persone,
Mmm...
Cazzo non mi fare mmm, non siamo in una seduta, non fare lo psicoanalista con me, merda!

…

Be', comunque ti dico una cosa, le tue idee su di me si sono rivelate fasulle.

In che senso?

Dico, stiamo parlando di un sacco di soldi per cinquanta minuti di parole, sai quante ore io posso passare a parlare con Claire, o con Nathalie, sai quante ore di confidenze gratis ci facciamo anche con la Tina, per dire, pagare per andare a sparare cazzate su di me e su mia madre e sulla mia infanzia perturbata! Io non ci credo,

Be', fa come vuoi.

E poi con un po' di vino io mi rilasso uguale e anche meglio.

Va bene.

Va bene davvero o lo dici tanto per dire?

Io credo che le persone devono fare quello che sentono, lo sai.

E io non me la sento di andare a sparare cazzate al ritmo di duecento carte all'ora. E nemmeno voglio farmi stroncare dalle schifezze.

Non ragioni mai in euro, eh?

No, ragiono sempre in vecchie lire italiane.

Sai, ho letto che stimano che ci vorranno almeno tre anni prima che una persona si abitui all'euro, a ragionare in euro, dico,

Ah,

Ci vuole del tempo per abituarsi alle cose,

Be' io comunque spero di non abituarmi mai, spero di non diventare mai come quelli lì,

Quelli lì chi,

Quelli che devono pagare per tirare fuori un po' di interiora,

Occhei,

E spero di non diventare mai un'adultera, anche.

Che cosa?

Un'adulta, una signora, nel senso fascista del termine, voglio dire...

Cosa significa nel senso fascista?

Nel senso l'angelo della casa, che cucina e veglia sui piccini,

Guarda che prima tu hai detto un'adultera, hai detto spero di non diventare mai un'adultera.

Ho detto così?

Sì.

Vabbè, dai mi sono sbagliata, fa lo stesso,

Come vuoi,

È così, dai.

Va bene,

Cosa stai leggendo,

Te l'ho detto, un articolo che ho fatto per la rivista di psic...

È roba buona?

Speriamo,

Cazzo, quello strizzacervelli mi stava troppo sui coglioni!

Oh signore,

L'avrei voluto prendere a botte in testa!

...

Stava lì a ascoltarmi e faceva segno di sì con la testa. Era uno soddisfatto di sé, ce la metteva tutta per darsi un'aria da fico, ma quello era un insicuro della madonna, te lo dico io! Un frustrato! Uno che l'hanno massacrato. Io ci ho il sesto senso per le persone, io lo intuisco subito com'è fatto uno dentro,

Ah sì?

Sì, proprio così, porca puttana, era tutto gentile, freddo, con l'aria di quello che ha il polso della situazione, che ha tutto sotto controllo, che marmaglia di gente che c'è in giro! Quello si entusiasma perché vanno da lui delle ragazze scoppiate e disperate che cercano di esprimersi, si fa di questo, quello si tiene su così secondo me, specialmente se si tratta di ragazze sfiduciate come me.

Tu non sei così sfiduciata.

Che ne sai tu di me! Che marmaglia di gente. Guarda, mi stava troppo sul cazzo, e mi ricordava pure Pascal, te lo ricordi quel coglione di Pascal, te ne avevo parlato. Ero innamoratissima di lui. Quello tutto fumo e niente arrosto! Dio quanto mi state sul cazzo voi maschi certe volte, non farmici pensare!

Non pensarci va',

Non ci posso pensare, quando siete lì che ve la tirate all'impazzata, tutti ingasati e poi se vi si chiede di andare al sodo, di mettervi un po' a nudo, ma veramente a nudo, ve la fate sotto. Ve la fate nelle mutande.

Io non me la faccio nelle mutande,

D'accordo.

A me non mi fanno paure le donne.

Meno male,

Questo è poco ma sicuro.

Be' sennò col cazzo che ti sposavo, non ti avrei mai sposato.

Sei sicura?

Sì che sono sicura,

E se il tuo ex, questo Pascal avesse lasciato la sua fidanzata, e ti avesse chiesto di sposarlo, sei sicura che non saresti tornata da lui?

Ah... non mi ci far pensare, non mi far pensare a quel montato a quello stronzo ingasato.

Io non sono uno stronzo ingasato, giusto?

No, tu hai solo un po' paura delle emozioni, e poi sei un po' tirchio ma non ti trovo stronzo, sennò non ti avrei mai sposato,

Bene,

Però, certe volte ho il sospetto che ti fa comodo avere vicino una ragazza maldestra come me, che ti funziono un po' come uno dei tuoi pazienti, qualcuno sfigato nell'anima, con cui tu puoi sentirti tosto, con cui tieni a bada le tue insicurezze.

Ah! Questo non lo credo proprio.
Be', fa lo stesso.
...
Serge?
Sì,
Certe volte mi piacerebbe fare qualche cazzata, con te,
Tipo?
Che ne so, andare a ballare, ubriacarci, urlarci degli insulti, o anche fare un sacco di sesso come facevamo i primi tempi, quando ci siamo conosciuti,
Ma lo facciamo ancora no?
Dai che cazzo, no,
No cosa?
Non facciamo più un sacco di sesso pazzesco, facciamo sesso matrimoniale, forse è anche per questo che certe volte mi viene la malinconia,
E poi perché mai dovrei lanciarti degli insulti, mi fanno orrore queste cose,
Ma dai era tanto per dire,
...
Sì, per dire che a volte è un po' la calma piatta qui, no,
Senti che ne dici di piantarla con queste chiacchiere e andarcene a letto? Je suis crevé, e domani c'ho un sacco di pazienti.

19.

Con la Tina abbiamo visto il dvd del film Ma vie en rose che parla appunto dell'argomento, del sentirti ragazza dentro anche se non corrisponde al tuo corpo.

Quando il film è finito io dico alla mia amica: Non credi anche tu che il fatto di dividere l'umanità in maschile e femminile è un grande equivoco, un'immensa cazzata? Non credi che è una specie di fascismo riproduttivo, eh? Lei mi sembra d'accordo, armeggia un po' con le olive e il suo cocktail (Campari, vodka e succo d'arancia) e dice, Sì, è come se gli ometti e le donnine stampati sulle indicazioni dei gabinetti dovessero corrispondere all'anima delle persone, ma ti pare?!

E che cacchio, faccio io.

E quella parte del genere umano che non vuole farsi schiacciare dalle categorie dei gabinetti, che ne facciamo? fa lei che comunque ha fatto un sacco di buone letture e in certi momenti questo si vede proprio. Dice: Che facciamo, li facciamo sentire sempre i maledetti della terra? I reietti della razza umana? Massù!

Io passo a stendermi uno stratino di maionese su un cracker, gliene allungo uno anche a lei e poi schiaccio il telecomando per passare al telegiornale della sera. A questo punto rimaniamo per un po' in silenzio a studiarci le mosse del macellaio texano che sta dicendo agli americani che è tutto sotto controllo, che la guerra contro l'infedele sarà lunga e dolorosa ma che alla fine i buoni vinceranno e i cattivi se lo prenderanno in culo. Tutto quello che gli americani devono fare è spendere in pace, andare nei centri commerciali, sputtanarsi tutti i loro dollaroni e continuare a inquinare la terra senza pensarci su che ci pensa lo zio a proteggerli. Tina dice: Queste stronzate! Mi fanno uscire di testa, non ne posso più!

Io dico che mi sta venendo la nausea, che mi sento disgustata e nauseata.

Perché continuiamo a ascoltare queste persone? chiede lei,

Io dico: Credo che lo facciamo per un miscuglio di sentimenti. Una miscela di rabbia, impotenza e speranza.

Stasera ci vieni con me all'Apocalypse? Stasera sento che sarà una buona serata possiamo divertirci sul serio.

No, stasera non ho nessuna voglia di stare in mezzo agli umani, stasera non voglio avere a che fare con l'umanità, me ne torno a casa.

Ah questo è indice di decadenza, dice Tina.

Smanetto sul telecomando finché plano su Paris Première dove c'è un video di Madonna. Madonna che parla dell'american dream, Madonna che si dimena e sbraita vestita da marine, con un berretto da Che Guevara in testa. Oh non ne posso più di Madonna, faccio io.

Ah no, aspetta aspetta non cambiare! non cambiare programma TI SCONGIURO!

No, Madonna no ti prego,

Tina si tira su di colpo, molla giù il suo cocktail e spiega, come una prof a un'allieva completamente ritardata alla quale però non si sa come vuole un po' di bene. Dice: Ah no, aspetta, diciamo le cose come stanno. 1984. Tutto comincia da lì. Io sto prendendo coscienza di me e Madonna appare al mondo. Io ancora non so bene come stare al mondo e lei appare con quel suo stile erotico e sfrontato, quell'aria da ragazza di strada che ha preso dalle bande di neri e ispanici che frequentava. Il suo erotismo l'ha costruito con questo miscuglio di aria da bad girl e vecchi film di Hollywood. In più prende parecchio anche dai suoi amici gay e travestiti. Lo sai che il suo primo maestro di ballo è stato un gay?

Io resto a guardarla con la bocca aperta. Il cocktail comincia a rendere fluttuante la realtà e questo non è male. Lei continua: Grazie alla sua sensualità sfrontata si è potuta emancipare dalla morale e dai codici del suo tempo, non è poco, no? ha avuto la forza di sfuggire a quello che la sua America aveva previsto per le donne. Madonna, come te mia cara, è attratta dai travestiti per la loro capacità di essere quello che vogliono a qualunque prezzo.

Merde, alors! dico io.

Lei mi tocca un po' il braccio e continua: Hai presente la mia foto all'ingresso, quella dove indosso un abito rosso lungo, senza spalline? Be', per dire, quella è una citazione da Material Girl.

Ah, e io che pensavo a una citazione di Marilyn.

No, ma che Marilyn, non c'è paragone fra Marilyn e Madonna. Ascoltami, primo, Marilyn era un'insicura, passiva, con una forte tendenza alla depressione, Madonna invece lei è una perfezionista, sia come artista che come manager di se stessa. Marilyn era di un solipsismo onirico, infantile, nevrotico.

Io dico, tanto per interrompere un po' la tirata della mia amica, dico: Sì, ma come la mettiamo adesso?

Come la mettiamo cosa?

Adesso Madonna ha dichiarato che cambia nome, che si vuole chiamare Esther, come la tipa della Bibbia, ha detto: prima ero una ragazza cattiva, ora sono cambiata, sono severa coi miei figli, credo nel matrimonio e nel rispetto della tradizione.

Non ci credo,

Ha detto così,

Giuralo,

Te lo giuro su quello che vuoi.

Occazzo,

E già,

Ci siamo giocate anche Madonna,

Tempi di vera decadenza,

Senti ma forse è solo una nuova trovata, forse è solo per attirare ancora una volta l'attenzione su di sé,

Sì d'accordo ma se invece non è così?

No, non ci posso pensare,

Guarda, anche a me prima mi piaceva, mi dava l'idea di una donna forte che sapeva come fare nelle cose d'amore. Mi dava l'idea di una a cui piaceva spassarsela con maschi e femmine. Con gli uomini però era forte, perché li cercava e allo stesso tempo non sapeva decidersi se quello che voleva era uno stronzo, un rozzo allucinante che le sapesse tenere testa o uno schiavetto da papparsi a colazione.

Eh sì, questo è un po' il problema che abbiamo tutte noi material girls, fa la Tina rovistando nella sua sacca nera àgnes b. alla ricerca forsennata del suo telefonino che si è messo a squillare. Mi dice prima di rispondere, Dai dai vieni con me all'Apocalypse, stasera sarà una serata memorabile. Possiamo divertirci sul serio.

Io resto seduta col mio cocktail fra le mani, cerco di cantare insieme a Madonna, mi gira un po' la testa, allora mi allungo sul divano.

Tina dice: Coraggio, tirati su. Ma io non mi muovo.

20.

C'è stato di mezzo un sabato e una domenica e poi è arrivato un lunedì e io sono rimasta tutta la mattina a aspettare le quattro per vederlo. Alle due non ce l'ho più fatta a restare lì con la faccia incollata ai vetri a mangiarmi le unghie, ho preso il mio giubbotto d'aviatore e il berretto e mi sono sparata giù dalle scale di corsa. Quando mi sono ritrovata per strada non ho saputo dove andare. Mi sono ricordata che Claire mi aveva detto che c'erano delle conferenze su Ingeborg Bachmann alla sua biblioteca, c'erano due giornate dedicate a Ingeborg e io sono andata.

Ho preso il metrò e sono uscita a Tolbiac, ho scarpinato un pezzo in mezzo ai grattacieli del tredicesimo arrondissement, col freddo e la luce che è uscita oggi non è niente male questo quartiere. Quando arrivo la sala è già piena di gente e mi tocca rimanere in piedi, in fondo. Claire a un certo punto mi ha vista e mi ha fatto segno di avvicinarmi, c'è un posto libero davanti, ma io non ci ho voglia di andarmi a sedere lì davanti, c'è troppa gente e ho paura di rimanere intrappolata, di non potere uscire in tempo per l'appuntamento. Preferisco rimanere appoggiata al muro, vicino agli altri ritardatari. Mi sono guardata intorno e li ho visti tutti attenti e silenziosi ascoltare quelle che stanno parlando. Si tratta di tre famose saggiste-psicoanaliste-filosofe-storiche della letteratura e ci danno dentro sul serio. Mi sono detta qui c'è qualcosa che non va. Questi pensano di essere in una chiesa e pensano che quelle sono dei preti, o dei guru. Merda, sono di nuovo finita nel posto sbagliato. Stanno tutti qui a bocca aperta, respirano appena e pensano di essere in un tempio, come se la letteratura fosse qualcosa di immacolato, qualcosa di non contaminato dalla vita, di incredibilmente puro. Una specie di biglietto di prima classe che ti tiene alla larga dalla merda quotidiana. Come se quella scrittrice che adesso stanno ammirando e neutralizzando non avesse avuto anche lei una pancia e dei desideri assurdi, come se la vecchia Ingeborg non avesse mai urlato e non si fosse mai strippata mentre si scopava un amante. Come se non fosse morta dopo essersi addormentata con una sigaretta accesa che aveva trasformato il suo letto in un rogo.

Sono rimasta lì con la schiena contro il muro e ho cominciato a pensare a Felix e mi è venuta l'eccitazione nella pancia, poi mi è venuto un attacco di tosse e ho fatto finta di dovere uscire da lì per via della tosse. Ho sentito vibrazioni negative alzarsi contro di me. Fuori mi sono messa a camminare col naso per aria puntato verso il blu del cielo, mi sono sentita piuttosto bene in questo mondo, mi sono sentita libera dalle angosce e dalle paranoie. Non ho nessuna voglia di dare giudizi sulla vita, piuttosto penso che vanno bene risposte istantanee, gemiti, mucose, mani e lingue, fame e sete, ci ho messo un po' di tempo per imparare a godermi questo tipo di sensazioni. La mia immaginazione si è messa in moto per via di Felix e di quello che ho pensato che faremo insieme, ma non ho voglia di chiamarlo già amore perché forse non è amore. Però è questo che mi mette in moto la forza e la gioia di vivere. Potrei riempirci il mondo con la mia energia, potrei farlo girare per il verso giusto. Lo so che il mondo se ne frega di me, ma mi è piaciuto lo stesso immaginarmelo.

Felix mi dice: Mia madre, tutto quello che sapeva sulle cose e sulle persone lo aveva imparato dalla televisione, te l'ho detto che era stata male, poi ha fatto dei corsi di pittura e disegno e ha cominciato a dipingere, passava un sacco di tempo a dipingere gli angeli. Guarda qui, dipingeva gli angeli gli arcangeli e i cherubini. Poi ha fatto anche delle copie di Van Gogh, di là ce ne sono delle altre. Tutto quello che le piaceva era Van Gogh, disegnare i suoi angeli e guardare la televisione.

Sono rimasta a guardare una piccola copia del famoso dipinto del vecchio Vincent, quello dove lui ha un cappottone verde e un cappello blu con un bordo di pelliccia scura e poi l'orecchio fasciato, e questo sguardo chiaro quasi stupito. Ho visto anche il Volo di corvi nel campo di grano e la Notte stellata a St. Remy. Ho detto: Dunque le piaceva sul serio Van Gogh!

Le piaceva perché trovava che tutta la sua vita era stata un insuccesso. Non era stato capace di farsi una donna, una famiglia, né di guadagnarsi da vivere, non era capace di avere contatti umani, però come pittore ha saputo creare la sua magia...

Già è sempre così,

Sei d'accordo, allora,

Attraverso l'arte o la scrittura o la musica si cerca di tenere testa a un mondo ostile, si cerca di costruire delle regole contro le altre regole, quelle che non ci stanno bene e che non capiamo, è questo che succede,

Tu saresti piaciuta a mia madre, e forse anche lei a te,

La casa della madre di Felix è un rez-de-chaussée senza molta luce nonostante tutti questi cherubini e serafini. Sono rimasta a dare un'occhiata a un angioletto che si tiene la testa con una mano in una posa di malinconia. Felix ha detto: Quell'angelo aveva appena avuto brutte notizie da Dio, mia madre diceva che s'intitolava così quel quadro.

Mi sono messa a scrutare i vari angoli dell'appartamento sentendo l'odore della polvere in gola. C'è un salottino con la tivvù, c'è una piccola cucina e una camera da letto. E mucchi di oggetti mezzi rotti e accatastati qua e là, alcuni infilati dentro dei cartoni: un aspirapolvere, un macinacaffè, un asse da stiro bruciacchiato, due ferri da stiro, una scala, una quantità di piccoli elettrodomestici dall'aria malandata sparsi dappertutto: una vecchia radio, una grattugia e uno scaldatoast arrugginiti, uno spremiagrumi elettrico scheggiato, eccetera.

Dico: Quali erano i progetti di tua madre con questi elettrodomestici?

Cosa?

Cosa ci faceva con tutte queste cose scassate?

Oh, nei momenti che era incavolata o che si sentiva giù di corda diceva che li avrebbe portati tutti al robivecchi, se ne voleva sbarazzare, buttare via tutto, almeno un paio di volte alla settimana riempiva degli scatoloni e voleva buttare via tutto. Poi cambiava idea.

E poi ho notato tutte le bottiglie di alcolici chiuse nella credenza coi vetri trasparenti. Quante saranno state? C'erano bottiglie di whisky, di bourbon e di rum e di vodka mezze vuote, ho guardato sotto il lavandino e ce n'erano delle altre. Felix ha seguito il mio sguardo e mi ha detto con un filo di timidezza nella voce: A lei piaceva farsi qualche bicchierino ogni tanto, diceva che la rinfrescava. Dei periodi però beveva solo limonate, con un po' di vodka o di gin.

Mi è salito un fiotto di nausea allo stomaco, sono andata via dalla cucina. Ho guardato la finestra vicino al letto, poi il letto con le coperte ammucchiate sul pavimento. Sul materasso c'è solo il lenzuolo e un cuscino. Felix ha sfilato la federa dal cuscino e ha tolto rapidamente il lenzuolo dal materasso. Si è messo a fissare il materasso, poi mi ha lanciato uno sguardo con la coda dell'occhio.

21.

Un pezzo dopo l'altro ci siamo spogliati tutti e due. Lui si è sbottonato i jeans e io mi sono tolta i pantaloni. Si è sfilato i boxer bianchi e io i collant, si è levato la t-shirt grigia e io la mia maglia nera. Si è tolto i calzini e io le mie mutande. Sono rimasta col reggiseno. Visto che lui ha finito prima di me si è avvicinato e ha fatto scattare la chiusura che è partita lanciandomi il seno all'aria. A questo punto si è messo a fare andare le sue mani sulla mia pelle, niente di particolarmente lambiccato o originale ma è stato allora che ho cominciato a sentirmi a mio agio sul serio.

Ci siamo allungati sul letto dove sua madre ha dormito più di vent'anni. Felix mi ha passato la lingua sul piede sinistro, lungo la caviglia e la coscia, se ne è risalito su per il fianco fino all'ascella, si è concentrato sul capezzolo, prima uno poi l'altro, ha cominciato a mordermi. Poi mi ha fatta girare e ha cominciato a leccarmi la fica e il buco del culo. Dopo un po' che la faccenda è andata avanti si è fermato e ha detto: Da quanto tempo che ti sto leccando, mi sto consumando. Che ne dici di fare un po' per uno, eh?

Dici che non vale se me ne sto qui tranquilla a farmi fare?

No, sono mica il tuo schiavo,

Peccato!

Così per non fare quella che se ne sta con le mani in mano ho cominciato a leccargli la pancia piena di peli, ho girato un po' intorno all'ombelico e poi sono passata sulle palle, l'uccello e il buco del culo. L'uccello era tutto bagnato così quando ho aperto la bocca ho sputato fuori un rivoletto che gli è caduto sul petto. Non era una gran quantità, ma ha formato una piccola pozza di roba trasparente, gli ho detto: Ma sei venuto? No, che venuto, ha detto lui, non dire scemenze, te ne saresti accorta.

Allora gli ho detto: D'accordo, e lui mi ha afferrato le braccia e mi ha mandata al tappeto, mi ha messo a pancia in su e poi ha cominciato a scivolare con la faccia giù verso la mia pancia, ha ricominciato a leccarmi fra le gambe e poi si è tirato su e me l'ha infilato di colpo, senza preavviso. Io ho sentito un tonfo allo stomaco e ho pensato a qualcosa tipo le belle sorprese della vita.

Dopo un po' che la faccenda continua l'ha tirato fuori e ha detto, Adesso ci serve qualcosa.

Qualcosa tipo? ho detto io.

Per fare scivolare bene l'uccello, voglio fare una cosa.

Così ci siamo alzati, io con la testa che mi gira e le orecchie che mi fischiano, andiamo a rovistare nell'armadietto dei medicinali del bagno, c'è una quantità di alka seltzer, una sfilza di antabuse, e poi prozac e lexomil e seropram e qualche boccettino di vetro scuro senza indicazioni.

Lasciamo perdere, ha detto lui, che cazzo ci faccio con sta roba!

D'accordo ho detto io,

Seguimi, ha fatto e io l'ho seguito.

Mi ha fatta allungare sul letto a pancia in giù, poi mi ha preso i fianchi e mi ha tirata verso di lui, mentre con una mano mi prende la pancia con l'altra ha cominciato a farmi scivolare il suo uccello avanti e indietro fra le chiappe. Poi ha detto: Adesso devi arrenderti, devi darmi tutto.

...

Devi darmi tutto. Mi ha detto così di nuovo e poi me l'ha infilato con un gemito. Ha continuato per un pezzo tenendomi per i fianchi e muovendosi piano, ogni tanto facendo un gesto come per togliermi il sudore che mi bagna la schiena e il culo, niente male, quest'uomo ha molto più stile a letto che fuori.

A un certo punto ha fatto un respiro forte, come un urlo soffocato, ha detto ah mon dieu! e se n'è venuto. Quando l'ha tolto io mi sono girata, lui ha detto: Troppo presto? Non sei venuta?

È tutto occhei,

Mi ha detto, Perché non ti tócchi un po', eh? Dai, voglio vedere che ti tocchi,

Perché no, gli ho detto e sono partita per i fatti miei. Lui ha continuato a parlarmi piano nell'orecchio, non mi molla, continua a dirmi voglio che ti arrendi, se non mi dai tutto non mi piace. Poi dice: Voglio fare io,

Però così perdo il mio ritmo,

Sei una testona, lasciami fare.

...

...

Vuoi fare tu?

Sì,

Ti è piaciuto?

Sì, mi è piaciuto.

Ti è piaciuto tutto o solo quando sei venuta?

Ma no, mi è piaciuto tutto,

Dici sempre così,

Cosa?

Dici sempre sì sì mi è piaciuto, come per tagliare corto, dai mi fai sentire un cretino.

Forse è vero,

Ma che dici?

No, nel senso, non ti sembra un po' inutile chiedersi sempre ti è piaciuto, hai goduto? è una stronzata, perché se non te ne accorgi mentre scopi com'è andata è inutile chiederlo dopo, è inutile volerlo sapere a parole.

Sai che sei un po' stronza,

Non è vero,

Non ci credi?

No,

Cos'è, un fatto di libertà?

Mettiamola così.

E io allora?

Tu cosa,

Io devo difenderla con le unghie e coi denti la mia libertà, devo stare in guardia, come un animale nella foresta. Il mondo è pieno di trappole per quelli come me.

Addirittura,

Devo bloccare quelli che vogliono intromettersi nella mia vita.

Ma chi sono? Di che parli?

Tutti, tutti quanti lì a pomparmi l'aria, a rompermi i coglioni, mia moglie e le mie figlie per prime. TUTTI!

Ho capito.

Mi soffocano.

Non è simpatico quello che stai dicendo.

Io certe volte li ammazzerei! Farei fuori qualcuno!

Oh cristo,

Fanculo! Fanculo tutti!

Senti Felix, e se tua moglie ti tradisse, tu come la prenderesti?

Mia moglie? Lei ha sempre fatto quello che voleva, mi ha sempre tradito, io sono andato in giro, ho viaggiato tanto, sono stato anche in Madagascar, e che ne so di quello che ha fatto lei? Che ne so da chi è andata a farsi scopare quella!

Non sei carino,

Vuoi qualcuno di più carino? E vattelo a cercare,

...

...

Era bella, tua mamma?

Era una povera vittima, era una poveraccia, fuori dal mondo.

Va bene,

Sai perché ci siamo sposati con mia moglie? Ci siamo sposati solo perché era incinta. Ma io non sono mica sicuro che quella è mia figlia, non mi somiglia nemmeno un po'. Sai con quanta gente ha scopato Monique in vita sua? Pf!

Be'?

Ah, lascia perdere, non parliamone nemmeno, allora. E poi, quando è nata Sylvie, io me ne sono andato, sono partito, sono andato in Guatemala per un po' di tempo, lei ce l'aveva su con me, mi odiava, quando le telefonavo mi urlava di tutto, diceva che voleva vedermi morto. E poi, appena sono tornato si è fatta mettere di nuovo incinta,

Ma vaaa'...

Cazzo, te lo giuro.

Cosa vuol dire si è fatta mettere incinta, tu dove cazzo eri?

Ma che fai, mi vuoi prendere per il culo, ti dico che le cose stanno così, non ci credi? Non farmi incazzare anche tu, eh.

Be', non ci credo, voi uomini sposati siete sempre pronti a parlare male delle vostre mogli, questo non mi piace. Va bene farsi delle storie in giro, ma il disprezzo è una cosa che mi deprime, non lo sopporto.

E tuo marito allora?

Mio marito cosa?

Pensi che non ti sputtana dietro le spalle?

Non è il suo stile.

Sai che l'altra sera l'ho visto?

Davvero?

Sì, era su France 2, c'era tutta una menata, una trasmissione piena di psicoanalisti...

E come fai a sapere che era lui?

Ho visto il nome, c'è solo uno psy nel tuo portone, c'è la targa, si chiama Serge Schmaevsky tuo marito, è lui, vero?

Tu sei pazzo, continui a spiarmi?

Ma cos'è russo?

...

Cazzo ti sei andata a mettere con uno psicoanalista russo!

Lascia perdere.

Va bene. Comunque sai di cosa parlavano? Grande novità, parlavano della depressione, delle persone che sono depresse, c'era tutta una menata su depressione, prozac e compagnia bella,

Ho capito...

Una cosa pallosissima,

Felix, tu non sei mai depresso?

Io?

Sì, tu, chi sennò,

Ma che scherzi, io mai, non sono mai stato depresso in vita mia.

Bene,

Solo una volta ho tentato il suicidio, tranquillanti e alcol, ma non ce l'ho fatta. Sono arrivati troppo presto.

...

Senti, lasciamo perdere, io me ne sono tirato fuori bene dai miei problemi. Parliamo di tuo marito, mi è sembrato uno molto sicuro di sé, un cazzone pieno di sé.

Sai che tua moglie invece io la trovo sexi, mi è sembrata una piena di energia, e con un gran senso pratico.

Ma perché sei andata a vederla? Perché hai fatto una cosa del genere? E se capiva tutto?

Be', ero curiosa, e poi come faceva a capire tutto...

Ah!

Sai una cosa, io penso... sai cosa ho pensato vedendola, così, d'istinto, ho pensato che io e quella donna, io e Monique avremmo forse potuto essere amiche, ho pensato che in altre circostanze, in altri momenti avremmo potuto esserlo, perché io mi scelgo sempre delle amiche con un gran senso pratico, mi scelgo o delle amiche molto pratiche o completamente pazze. Ho immaginato che ci incontravamo qualche volta per andare al cinema, o a pranzo, io e lei, che parlavamo degli uomini, delle donne, di qualche storia che avevamo... ho pensato, magari fra me e questa donna c'è un legame,

Io non ci penso a queste cose. Tu pensi troppo. Tu e tuo marito siete due intellettuali, vi ho capiti!

Ah cazzo mi fa di nuovo male il ginocchio, guarda mi si è pure gonfiato, non ti sembra che mi si è gonfiato?

No, non mi sembra. Comunque, io ci tengo alla mia famiglia, anche se sono fatto a modo mio, la famiglia è importante per me.

Meno male.

E poi loro dipendono da me,

Per che cosa?

Be'...

Per che cosa dipendono da te?

Per il lato materiale, e affettivo, no,

È una buona cosa sentirsi responsabili, ho detto io.

22.

Stasera ho messo su La Serenata Picante, un disco di due nonnine cubane che si chiamano Casa de la Trova. Ce ne stiamo a casa mia con Claire, Nathalie e Annette. Annette è l'amica poliziotta di Claire, e a quanto pare si sono rimesse insieme. Mentre io e Claire siamo in cucina che stiamo tirando fuori dal forno la tarte soufflée alla ricotta e spinaci che ha preparato lei e il gratin dauphinois che ho fatto io (in pratica patate, panna liquida e formaggio rapé tutto mescolato insieme e sbattuto nel forno) la mia amica mi fa: Sono contenta di avere ripreso i contatti con la poliziotta, tu che ne dici?

Ti piace ancora?

Sì, mi trovo bene con lei, mi capisce,

E la faccenda delle manette?

Poi ti dico,

Occhei portiamo a tavola,

Annette è in gran forma, è un ragazza coi capelli rossi a caschetto e gli occhi verde smeraldo, per via del suo lavoro lei fa la boxe, le arti marziali e cose del genere e questo è qualcosa che emana subito, questa grande solidità di corpo e di pensiero, queste vibrazioni che ti comunicano che non c'è trippa per gatti, che se provi a fare o dire una cazzata ti sistema lei, ti sistema per le feste come si dice. Questa è una cosa che insegnano ai pulotti, ho idea, e che a Claire piace moltissimo trovare in una donna.

Quando Annette si è tolta il giubbino di pelle e è rimasta con una maglietta nera di stretch ho visto che è magra e forte di braccia, di polsi e di gambe. Ha fatto un movimento e ho visto i suoi muscoli. Se si alza dalla sedia o si sporge e si allunga per prendere il pane o per versare il vino, si vede la schiena atletica, e le tette rotonde e sode. E poi, quando senza pensarci fa un gesto per spostarsi la frangetta dagli occhi o per pulirsi l'angolo delle labbra, ti accorgi di come può essere sensuale, a dispetto dello stile generale, che è fatto di questa efficace semplicità.

È la prima volta che la incontro e sono rimasta un po' di tempo a osservare questo suo corpo snello e tosto che dà l'idea di essere costruito su una specie di equilibrio interno, l'equilibrio di chi ha dovuto tenere duro, nascondere qualcosa di sé e camuffare per tanto tempo pensieri e desideri che non sarebbero stati accolti da nessuno.

Nathalie intanto sta parlando a ruota libera, ha la faccia di un bel colore, ha già tirato giù un bel po' di Bourgueil e forse ha rinunciato al fatto di nutrirsi solo di tisane depurative. Sono contenta di vederla così, la mia piccola Nathalie, anche se stasera ha uno sguardo molto scettico sul posto occupato dal sesso nella nostra società. Proprio così, è da un pezzo che ci sta parlando delle sue nuove teorie in materia, dice: L'obbligo della performance sessuale è qualcosa che veramente mi fa andare via di testa!

Annette tira giù il suo vino e dice rivolta a noi: Sta parlando sul serio o scherza?

Be', perché, non può succedere secondo voi? Non può succedere di non averne più voglia, di rompersi le palle del sesso, sia di farlo che di pensarci?

...

E io mi sono rotta, ho sviluppato una mia teoria, magari è una teoria da quattro soldi,

Sentiamola,

Magari è una teoria squallida che non vale niente però è così,

Vai Nathalie, illuminaci,

Io penso che tutti quelli che passano gran parte del loro tempo dietro al sesso alla fine si rendono conto che è veramente una grande fregatura,

Vale a dire?

Insomma, fare l'amore può essere molto bello, siamo d'accordo, ma il fatto è che se leggi i giornali, se guardi i film, eccetera eccetera sembra che l'obiettivo più alto che un essere umano può avere, uomo o donna, è quello di scopare come un riccio, fare tanto sesso, avere tanti orgasmi, sembra che questo è il top nella vita. A me sembra una specie di isteria sessuale collettiva.

Ohlalà...

Oh la vache!

Ora, anch'io ci sono dei momenti che ho molta voglia di scopare di sentirmi bella di godere... però poi quando mi faccio una storia, mi sento completamente vuota,

Una storia a parte il tuo uomo?

Sì, con lui ormai siamo tipo fratellino e sorellina,

Ma dai,

Un così bel ragazzo quell'Hassan,

Quelle belle spalle.

Quegli occhi,

E tutto il resto,

Tu confermi sempre per quanto riguarda il resto, eh Nathalie?

Ma sì, sì, confermo,

È così bello il tuo uomo? chiede Annette.

Una specie di Paul Newman arabo, dico io.

E da dove è uscito fuori?

È per metà tunisino e per metà kabil, è incredibile,

Puoi immaginarti che roba!

E non scopate più?

Ma sì... sì che scopiamo ma non c'è più quella passione quella roba che ti prende le budella. Sei d'accordo? dice rivolta alla sottoscritta,

Ah, qui sfondi una porta aperta cara Nathalie,

A proposito, dove l'hai ficcato il tuo strizzacervelli?

Serge è in Brasile,

È andato in Brasile?

Sì, ennesimo congresso di strizzacervelli freudiani,

Perché non sei andata con lui? Il Brasile è bellissimo, è romantico!

Abbiate pietà di me, quanti congressi di psicoanalisi può sopportare una donna prima di avere una crisi di depressione violenta?

Ah bon!

E poi quando lui non c'è io sto bene, mi piace tornare a essere sola, come i vecchi tempi, vedere le amiche matte eccetera,

Ou, matta sarai tu,

Già, è bello essere sole, per vedere le amiche matte e per fare altro... (Claire)

Taci tu, (io)

Senti Nathalie, la tua teoria però non mi convince tanto, dice Claire,

Io vorrei stare un bel po' di tempo senza fare sesso, e senza pensarci, ribadisce santa Nathalie,

Ma che cazzo, ascolta, dice Claire, è solo che sei depressa perché non stai lavorando, voi attori quando non lavorate andate fuori di testa. Guarda, anche la mia situazione, io penso che è dura tirare su mia figlia da sola, dovere lavorare in quella biblioteca del cavolo, ma va bene così, dai, meglio che fare la famigliola del cazzo con le scopatine dei finesettimana! Per questo forse che non mi è mai passata la voglia di fare sesso.

Ci credo! dico io.

E il tuo maritino che dice?

Be', è uno strizzacervelli, questo bisogna metterlo in conto,

Cosa vuoi dire?

Non è esattamente avventurosa la nostra vita insieme,

Pensavo che dicessi che dato che è uno strizzacervelli è l'unico che sa come trattare con te.

Va' al diavolo,

Dai porca maiala, non sentiamoci sempre meno di quello che valiamo, cazzo! (Claire)

Merda Claire, ci hai ragione, mi sa che ci hai proprio ragione, prenditi ancora un po' di questa torta alla ricotta, è buonissima, sei una maga tu ai fornelli,

Questo gratin invece non ne prendete?

Le patate sono un po' dure.

La panna ha un gusto strano,

Sul serio?

Sì,

Allora ho sbagliato qualcosa,

Eppure è così semplice da fare il gratin dauphinois, lo farebbe anche un bambino.

Be', ho sbagliato qualcosa, capita dai,

Annette: Comunque vi dico una cosa, tutti ci provano, tutti quanti tentano di addomesticare gli altri, e se stessi, naturalmente,

Be', non ce la faranno, né con me e né con voi, cazzo! (sono sempre io).

Nathalie: Anche se adesso vi sembro un po' rincoglionita, vi dico che alla fine neanch'io ci sono mai cascata, anche quando mi è costato tanto. Certe notti mi sono svegliata col cuore che batteva a mille, tutta sudata, certe volte mi sono venuti dei sudori freddi, all'improvviso, in mezzo alla folla.

E cosa avevi? (Annette)

Cosa avevo, mica ero malata, mica era una cosa da curare, quello ho capito che era un segnale, come qualcosa che ululava dalla profondità della mia vita.

Che ululava dalla profondità della tua vita? Questa me la segno.

Sì, prendimi per il culo ma è così,

Cosa ti ululava?

È come un richiamo, io lo vedo così, mi dice quando rischio di cadere in trappola, quando quello che mi succede non fa per me. Mi dice quando qualcuno mi sta spingendo a essere un'altra cosa, qualcosa che non sono. Allora so che è arrivato il momento di salvarmi. Devo farmi forza e tirarmi fuori da lì,

Non te lo dimenticare questo che stai dicendo, cara Nathalie, dico io con un fare un po' da moglie di strizzacervelli ubriaca.

Sicuro che non me lo dimentico, ci ho scritto anche una canzone,

Bene!

Occhei.

Sapete ho pensato che potrei mettermi a cantare, i miei insegnanti di recitazione mi hanno sempre detto che ho una bella voce,

Perché no,

Se lo fa la Carla Bruni e la Jane Birkin lo posso fare anch'io,

Sono d'accordo!

Claire dice: Tesorina, a te ti si stanno ammosciando gli ormoni, qualche anno fa non parlavi così, non avresti mai parlato così,

Be', qualche anno fa le cose erano diverse, ero molto più ingenua e non conoscevo tante cose della vita,

Mah! (io)

E poi dopo che hai messo al mondo un paio di figli, quando li hai tirati fuori di lì, e hai passato un sacco di tempo a dargli le tue tette...

...E le tette non sono più quelle di una volta, (Claire)

...E il rapporto con la tua passera non è più lo stesso, tutto quel tempo a pulire la cacca e stare sveglia di notte e curarli quando si ammalano, tutte queste cose ti mettono in un'altra prospettiva,

Cosa?

Eh?

Cos'è che le cagate dei figli mettono in un'altra prospettiva?

Cosa? Tutto! le storie, gli uomini, le scopate in giro, tutto quanto,

Claire: Anch'io ho fatto una figlia, anch'io le ho dato le tette, ma ho sempre voglia di fare sesso, anzi ne ho sempre di più e trovo che la vita senza sesso è una specie di minestra senza sale,

Ben detto, dice la pulotta Annette strizzandomi un occhio.

Tu che ne dici? fa Claire rivolta a me,

Io dico: Il sesso è un'energia,

Ah no, adesso per favore non te ne uscire con le tue storie della meditazione, il Dalai Lama e compagnia bella,

Dico solo che è un'energia, il sesso, e che non è male quando arrivi a creare una situazione dove il desiderio di una stimola quello dell'altro, o dell'altra,

?

...in questo modo il desiderio aumenta, e aumenta il piacere, e si arriva a conoscere cose di sé e della vita che sono molto simpatiche,

Annette: Simpatiche?

Claire: Chiamale simpatiche!

Annette: Cos'è, è la storia del tantra, dello yoga quelle cose lì?

Claire: Per carità non ti infilare in questi discorsi sennò questa non ci molla più,

Nathalie dice: Ma perché se io dico a qualcuno che nella vita ci sono cose migliori del sesso mi guardano come se fossi fuori di testa!

Annette dice: E lo credo,

Nathalie: Be' è un po' insopportabile, sento che nessuno mi capisce! E comunque, per quel che riguarda Hassan, giusto per spiegarlo a Annette, non vorrei che si facesse idee sbagliate su di me e sul nostro rapporto, mio e di Hassan, dico, ecco, per dire, a me piacciono le carezze, mi piacciono i giochi, e insomma, che una cosa vada avanti un po' per le lunghe. Il mio uomo invece non cerca mai il mio piacere, cerca solo il suo, non mi chiede mai cosa mi piacerebbe fare a letto con lui.

Ah che tristezza la vita degli etero! (Annette)

Il fatto è che quando ci siamo conosciuti io ero molto giovane, non avevo le idee chiare sulla questione sesso orgasmo e compagnia bella, non sapevo tanto come stavano le cose,

Et après?

E poi ho avuto un amante e ho scoperto qualcosa, ho scoperto l'esistenza di un sesso ricco e pieno, ho scoperto un piacere di cui ignoravo l'esistenza,

Oh putain! Ma ti piaceva, allora?

Mi piaceva quella storia, io penso che già il fatto di avere una storia clandestina dà piacere, è bello avere un segreto tutto per te, senza la noia delle cose di tutti i giorni. Ero tanto innamorata di Philippe, anche lui aveva una moglie, e due figli, tanto che a un certo punto abbiamo cominciato a pensare di metterci insieme sul serio, ci pensavo sul serio,

Non mi avevi mai detto niente di questo Philippe,

No,

Scusa, scusa un secondo, giusto per sapere, non l'hai detto a nessuno o è solo perché tocca a me raccontarti sempre tutti i cazzi miei e tu devi startene lì a prendere la posa della ragazza perbene che dà sempre i buoni consigli alla ragazza perduta?

Dai, non è così,

Speriamo,

È che delle cose che mi fanno star troppo male io non ne parlo,

Non ne parla, lei,

Non ci riesco, io non sono come voi, io ho avuto un'educazione repressiva,

Claire: Ah basta con questa storia dell'educazione repressiva,

Io: Sì, basta, rileggetevi Foucault e non se ne parli più!

Annette: Apri un'altra bottiglia, compagna!

Claire: Le sexe-signification, le sexe-discours, le sexe-histoire!

Annette a Claire: Ma cosa stai dicendo?

Io: Putain de Foucault!

Ragazze io sono una poliziotta,

Insomma, cos'è successo con questo Philippe, perché non siete scappati via insieme, eh?

Certe volte l'ho desiderato, poi pensavo: ma se vivessi tutti i giorni con quest'uomo, se dovessimo dividere il bagno, dormire insieme tutte le notti, come sarebbe? Potrebbe durare?

Potrebbe?

Tutti hanno i loro difetti, delle cose insopportabili, io ho le mie, ma almeno quelle di Hassan le conosco, ci conosciamo, abbiamo imparato a vivere insieme senza starci troppo addosso,

Claire: Anch'io quando stavo col padre di mia figlia ho avuto un amante, era uno molto molto portato per il sesso, ma quello forte, quello *à la limite* un po' hard anche, un po' sado, uno di quelli che non gli basta una sola donna, mi proponeva sempre dei partouze,

E tu?

Io ho rifiutato, per questione di igiene, più che altro, più c'è mélange più ci sono rischi,

Merda, questa non la sapevo, (Annette a Claire).

E ora lo sai,

Annette: Mai fidarsi delle bisessuali, ve lo dico, tanto lo so che prima o poi mi arriva la tramvata in faccia!

Lascia perdere, dai,

Comunque, dice ancora Annette, io la capisco Nathalie, e posso dire che è per questo che io preferisco scopare con le donne, è che noi lo sappiamo bene che ci sono punti di piacere dappertutto, ogni angolo del corpo femminile è erotico, le mani, i gomiti, le ascelle, i piedi, le spalle, la donna è una vasta zona erogena,

Io: E l'uomo no?

Nathalie: Ah, se lo è non ce ne siamo accorte.

Claire: Ah no, no, qui state dicendo delle cazzate,

23.

Per fortuna che ho sempre una piccola scorta di vodka nel mio frigo, ho anche sempre il Campari, il vino bianco e il succo di pompelmo per i miei cocktail. Le tre bottiglie di Bourgueil sono finite da un pezzo e Annette si sente in gran forma, Nathalie è andata a prendere nel congelatore il suo gelato ai gusti croccantino al rum e malaga e l'ho vista un po' sbandare.

Claire sta dicendo: Comunque, non si sa mai cos'è peggio con i fidanzati, o le fidanzate, quando ti stanno col fiato sul collo tutto il tempo o quando non ti si cagano proprio,

Annette ha detto: Non è che ti riferisci a me, scusa?

Claire cerca di alzarsi in piedi, prende la bottiglia di vodka, si versa ancora da bere, si tira giù un paio di cucchiaiate di gelato e dice: Ve ne racconto una, una volta c'era un mio ragazzo che voleva spiegarmi la vita, io ero giovane e stavo a sentire quello che mi diceva, mi aveva detto che ero venuta su così un po' sballata, un po' senza freni però non era male, perché secondo lui tutti dovevano comportarsi liberamente. Così io gli avevo dato retta e non gli raccontavo mai palle. Un giorno, dopo che abbiamo scopato lui fa: ma se ti piace così tanto scopare con me chi mi dice che non ti va di farlo con tutti?

Che stronzate!

Aveva cominciato a farmi il terzo grado, mi diceva: ma

mettiamo che sei in giro e vedi uno, un tipo che ti piace, cosa fai, te lo scopi o no?

E tu cosa dicevi?

Be', io dicevo può darsi, forse,

Risposta sbagliata!

Proprio così, porca puttana! Ho capito che avevo sbagliato tutto. Lui mi piaceva da matti, ero cottissima, oh, merda, avevo vent'anni, che cazzo ne sai della vita a vent'anni,

Invece a quaranta... (io)

Uh! A quaranta tutt'un'altra cosa,

Come no,

È ancora peggio, secondo me,

Ecco,

Però, per dirti, anch'io ho sempre sentito che rispetto a tante cose mi mancavano le regole, ho sempre sentito come se ci fosse una specie di libretto di istruzioni per la vita che qualcuno si è dimenticato di darmi, (sempre la sottoscritta)

Be', forse è meglio, forse ti è andata meglio così, dice Claire.

Annette: Come dice Bob Marley, se fossi stato educato sarei diventato uno schiavo,

Cos'è, adesso il verbo del vecchio Bobby è arrivato anche fra i poliziotti?

Io: Deve girare parecchia roba buona da voi, eh?

Claire: Cambia discorso, lascia perdere, dammi retta piccola,

Come non detto,

Che ne dite di un secondo tour di gelato? Magari con un po' di vodka?

E perché no,

Io prendo solo la vodka,

Io: Posso chiederti una cosa, Annette?

Sempre sulla droga?

No, che droga, su di te, voglio dire... sulla tua vita ehm... intima,

Vas-y!

Sicura?

Ma sì, mica sono una pulotta 24 ore su 24, coraggio, adesso sono solo una ragazza che vuole passare una bella serata in compagnia,

Bene,

Sputa l'osso,

Scusa la curiosità, ma tu sei una di quelle dure e pure o...

Se ho provato a stare con un uomo? Vuoi sapere questo?

Già,

Vedi, sempre di questo si finisce a parlare con lei, non c'è discorso sui sentimenti che tenga, (Claire)

Oh quanto sei stronza!

Dai, lasciala dire, no,

Sta' attenta a quello che dici, Annette, perché può succedere che ti ritrovi sbattuta dentro una sua storia, (la cara Nathalie)

Be', ci sono persone che sarebbero molto contente di finire dentro un racconto, se è per questo.

Ah sì? Non io, (sempre l'amica Nathalie)

Dai non ricominciate con questa storia,

Perché? Vuoi scrivere qualcosa su di me? A me sta bene, basta che cambi nome, ovviamente! (sempre Annette, che mi diventa di colpo simpaticissima)

Mah... non lo so,

No?

Che ne so, non è che tutto quello che senti in giro è automaticamente buono per farci dei romanzi, scusa,

Nathalie: No, però se sono confidenze che ti fanno le tue migliori amiche sì,

Claire: Oh ça suffit!

Annette: Per parlarvi allora un po' della mia vita, sì, quando ero più giovane ho provato a andare con dei maschi, ma sapete cosa mi sembrava?

?

Che era fin troppo facile farli godere,

Ah bon!

Be', un po' è così, ha ragione, non ci vuol molto,

A sedici anni mi piaceva un ragazzo, era dolcissimo, mi piaceva per questo, e così abbiamo fatto l'amore, lui ci sapeva fare, è stato carino, ma io non sono venuta. Di questo me ne sono accorta dopo, chiaro, quando ho iniziato a fare l'amore con le donne, che cos'era venire, che cos'era un orgasmo! La prima volta che ho fatto l'amore con una ragazza sono venuta subito!

Bene,

E perché sei andata anche con un ragazzo? (Nathalie, ovviamente)

Lui mi piaceva, e ho voluto provare, anche se lo sapevo, sapevo già come stavano le cose, è da quando sono al mondo che mi piacciono le donne, che guardo le ragazze per strada, le ho sempre trovate belle, tutte quante, ognuna a suo modo, ero sempre eccitata quando giocavo con le mie amichette a scuola, mi piacevano, il loro odore, il modo di parlare e di muoversi, erano tutte molto carine per me. Mi ricordo che guardavo sempre alla televisione Angélique marquise des anges, non perdevo una puntata, mi mettevo sul divano, con le gambe un po' open e le mani dove sapete...

Oh la vache!

E quanti anni avevi?

Ero bambina,

Angelica sì, me la ricordo, anch'io la guardavo alla televisione italiana, me la ricordo benissimo,

Ah, era bellissima, come si chiamava l'attrice?

Era Michèle Mercier,

Brava! Che memoria cacchio,

Era bellissima, no?

A me se devo essere sincera piaceva di più lui, Robert Hossein, con la sua lunga cicatrice sulla faccia e gli occhi assassini e tutto quanto, (Claire)

Lo sapevo, (io)

Poi, a diciotto anni, ho avuto il secondo e ultimo ragazzo della mia vita, era di nuovo un tipo dolce, maschio ma con una sensibilità molto femminile, e è andata avanti per un po', lui stava anche con un'altra ragazza, una un po' più grande di lui, Camille, un giorno me l'ha presentata e zac! è stato un flash, ho completamente perso la testa per lei, l'ho corteggiata, l'ho sedotta e alla fine ci siamo messe insieme, è durata sei anni.

Aspetta, vuoi dire che hai fregato la ragazza del tuo fidanzato,

Se vuoi.

È andata così?

Porca miseria!

E non ti ha spaccato la faccia,

No, ha capito la situazione, siamo ancora molto amici con Mathias,

Ah questi francesi!

Lascia perdere,

Lui anzi è diventato homò,

Frocio anche lui!

Già,

Potresti usare un altro lessico, se non ti dispiace, Nathalie? (Claire)

Lasciala stare, ha bevuto, si sta rilassando (io)

Tu sempre a proteggere la tua amichetta, (Claire)

Cos'è, una scenata di gelosia? (io)

Annette: Ma soprattutto, quello che mi ha fatto capire bene da che parte mi piace stare è stato il fatto di scoprire che tutto quello che non mi piaceva nelle storie coi ragazzi, con le ragazze mi andava benissimo,

Per esempio?

Per dirne una, non mi è mai andata giù l'idea di essere sottomessa psicologicamente a un uomo, di impazzire per lui, di aspettare una sua telefonata o di torcermi la pancia per la gelosia, e invece tutto questo con una donna mi sta benissimo. Se una donna mi fa diventare sua schiava, se riesce a mettermi in questa situazione, moi j'adore!

Buono a sapersi, (Claire)

Ehi vacci piano però,

Sul serio ti piace sentirti schiava di qualcuno?

Non di qualcuno, di una donna, una donna che mi prende per mano, e guardandomi negli occhi, con uno sguardo da dominatrice mi fa: vieni con me, andiamo a scopare! Ah, mi piace da morire. Se lo facesse un uomo lo manderei affanculo immediatamente,

Chissà se tutti i pulotti hanno questo istinto masò nel privato,

Quanto sei idiota!

Sempre a generalizzare,

Era per dire, su,

Non è che una lesbica odia i maschi, che vuole ucciderli tutti, è solo che non è eccitata da un garçon, è così, no? (Nathalie)

Già,

A volte comunque vi assicuro che anche se una non è lesbica può non trovarli eccitanti lo stesso, questi maschi,

Ancora!

24.

Con Felix abbiamo cominciato a vederci all'ora di pranzo. Ogni volta ci vediamo al Café des Philosophes, se non piove io arrivo a piedi passando per Jussieu, attraverso il pont de Sully e il boulevard Henry IV e sono a Bastille. Beviamo qualcosa prima di mangiare, ci diciamo cosa abbiamo fatto il giorno prima, e che birra buona hanno in questo caffè. Poi prendiamo un'insalata, ce ne sono di vari tipi, io però prendo sempre la salade Spinoza che è fatta di uova, pomodori, mais e fagiolini, le uova non mi sono mai piaciute ma la prendo lo stesso per il nome. Prendo la mia salade Spinoza e scarto le uova che mi hanno sempre fatto schifo. Lui Felix cambia sempre, prende una volta la salade Montaigne, che in pratica è un'insalata di patate condita con olio e sale, poi un'altra volta la salade Kierkegaard che è con le acciughe mi pare, sì, acciughe e pomodori e lattuga e olive nere, le acciughe non so cosa c'entrano con Kierkegaard mi aspettavo un altro tipo d'insalata. Ho chiesto al cameriere se preparano queste insalate come capita e poi gli danno dei nomi di filosofi famosi, oppure se fanno riferimento a qualcosa che hanno trovato nei loro libri. Il cameriere si è stretto nelle spalle e ha fatto la classica pernacchietta dei francesi quando vi vogliono dire: che cazzo ti devo rispondere. Mi ha detto: Je ne sais pas mad'm...

Be', a volte bisognerebbe essere un po' più precisi, ho detto a Felix, io anche se sono una confusionaria ho sempre avuto una certa tensione verso la precisione, anche se non sono precisa non vuol dire che non l'ammiro in chi ne fa uso. Poi quando abbiamo finito le nostre salades prendiamo un dessert, la specialità qui è il gateau truffé au chocolat amer, una vera delizia.

Mi colpisce che ogni volta lui cambia tipo d'insalata, mentre io prendo sempre la salade Spinoza lui cambia, a me se un piatto mi piace posso replicarlo per un mese intero, anche per due o tre mesi, lo mangio sempre con la stessa voglia, mi piace ritrovare sempre gli stessi sapori, in certe cose trovo che è bello essere metodici, e lui invece ogni volta prova nuove insalate...

Felix si mette di nuovo a raccontarmi della sua infanzia, il suo chiodo è lì, continua a raccontare di sua madre che aveva scoperto che il padre aveva una doppia vita e era andata fuori. Io da parte mia continuo a raccontargli pezzi del mio passato così, in disordine, a caso, come viene viene, cerco di dirgli qualcosa di me, ma senza approfondire troppo, mangio la mia salade Spinoza bevo la mia Beck's e ci sono questi pezzi di storia passata che si mettono a galleggiarmi lì nella testa, situazioni finite, sentimenti scomparsi, persone cancellate, tutto che fa una specie di danza pazza nella mia testa, un disordine mostruoso...

A un certo punto lui mi fa: Cambiare non ti piace molto, eh? Io dico, Al contrario, ma è che su certe cose ho bisogno di ritrovare i miei punti di riferimento, e poi lui mi guarda e mi prende una mano e mi dice, Andiamo via insieme, scappiamo da qualche parte, vieni via con me.

E così io gli dico, Va bene, d'impulso, anche se lo so dentro di me che quest'uomo non sopporterebbe di vivere con me e io non sopporterei lui. Però non è male questo fatto che sento tutto il suo desiderio e la voglia di buttarsi nella mischia e di mettersi in gioco fino in fondo. Mi è sembrato un uomo coraggioso. Uno fuori, ma coraggioso. Così senza pensarci troppo gli ho detto di sì, e lui ha detto, Ma non subito, vero?

No, non subito, subito non posso, è impossibile.

Allora aspettiamo ancora un po' e vediamo come vanno le cose? ha detto lui.

Sì, aspettiamo per vedere come vanno le cose.

Oh! sei molto ragionevole, ha detto, con una smorfia di disgusto sulle labbra.

No, non mi sento molto ragionevole. Poi gli ho raccontato di quello che ci siamo dette con Claire, Nathalie e Annette. Lui ha detto: Tu e le tue amiche vi sentite toste, eh, vi sentite fighe!

Non sempre, però una cosa mi sembra vera, che non ci siamo fatte incastrare, questo sì, siamo sbandate ma non rassegnate,

Cosa vuoi dire?

Che non siamo diventate delle signore, nel senso borghese del termine,

Et alors? Che vorresti dire?

Che siamo ancora vive!

Stai cominciando a straparlare, ha detto lui.

Non credo,

Hai bevuto troppo,

Sai cosa penso? Penso che io e Claire e le altre siamo ancora capaci di lottare per la nostra vita e il nostro piacere. È una lotta a modo nostro, senza armi e senza bombe ma cerchiamo di restare vive.

Ah, merde! ha detto lui, e è rimasto lì un po' scazzato e un po' deluso, forse è scazzato per il mio straparlare e per tutte queste insalate ripetitive, oppure è deluso perché lui ha avuto questo slancio questa proposta di scappare insieme di andare via lontano e fuggire, ma il romanticismo io non sono convinta del romanticismo. Allora cambio argomento, gli dico, Ho scritto al mio dottore, è lui che mi ha curata quando ero un po' fuori,

Cosa significa che eri un po' fuori?

C'è stato un momento complicato, e lui è un buon uomo,

e mi è stato vicino anche senza farsi pagare una montagna di soldi. Vuoi che ti leggo la lettera che gli ho scritto? Sì, ha detto lui, e mi è sembrato sincero, ma quella delusione che gli è passata prima sulla faccia gli ha spento lo sguardo. Dico, Ecco cosa gli ho scritto, ho trafficato un po' nella mia borsa per recuperare la lettera, poi l'ho tirata fuori e ho letto: Caro dottore, nessuna difficoltà con il bere. Tutto sotto controllo. Nessun desiderio di fare uso di droghe per sfuggire alla mia vita. Stato di salute molto buono, un po' di malinconia ma questo mi rende umana. Fa parte del gioco, no? Quasi ogni giorno utilizzo la pratica della meditazione. Ho incontrato un uomo che mi piace molto, si chiama Felix e le assicuro che passiamo dei bei momenti insieme.

Gli sei andata a dire di noi?

Sì, perché no?

E poi hai fatto un ritratto di te che non mi convince,

Perché?

Forse non avresti dovuto farlo, non avresti dovuto dirgli di noi.

Invece volevo farlo,

In pratica gli sei andata a dire che non bevi e fai la meditazione, ti sei dipinta come una suora,

E allora? Che c'è di male?

Poi cosa gliene frega a quello della nostra storia,

Be', a me andava di dirglielo, ho ribadito io tenendomi aggrappata alla mia Beck's, poi ho farfugliato ancora una cosa che mi è venuta in mente, mi sono messa a citare un famoso saggio di Erwin Panofsky sull'immagine di Cupido cieco, ma a lui non gliene frega granché. Ha detto, Andiamo, hai bevuto abbastanza.

25.

Ah! Mi piacerebbe che scrivessi una bella storia, una storia senza parolacce, senza volgarità, una bella storia d'amore come scrive quella scrittrice, come si chiama quella che ho visto alla televisione...

Sì mamma, perché no,

Perché no perché no... intanto continui sempre a scrivere tutte quelle robe piene di cazzi e di parolacce,

Anche tu ne dici di parolacce,

Non vuol dire, quando uno legge un libro vuole innalzarsi dalle cose brutte che c'è nella vita, nella vita ci sono già tante cose brutte, lo capisci?

Sì, come no,

E poi potresti scrivere storie con dei personaggi che concludono qualcosa di buono nella loro vita,

...

Non dici niente?

No,

Insomma delle persone più a modo...

Sì,

Che ne dici?

Io penso che qualunque persona vera o inventata ha diritto di avere la sua voce, ha diritto di esprimersi come gli pare,

Vabbè, tanto tu fai sempre a modo tuo,

Serge a questo punto direbbe: perché, vorresti invece che facessi a modo tuo? Ma è troppo facile giocare questo gioco con mia madre. E poi non le ho telefonato per farle la guerra, l'ho chiamata perché avevo voglia di sentirla. Ma la comunicazione è sempre un po' tesa fra di noi, siamo subito sopraffatte dalle emozioni, dai rimproveri, dai rimpianti. Così cerco di sterzare la piega che questa telefonata ha preso, le dico: Cosa stavi facendo ma', ti ho disturbata?

Oh, niente, non avevo niente da fare e così stavo fumando, ha detto lei,

Ho capito, ho detto io.

Adesso sono qui che non so bene cosa fare,

Sì,

Be' è normale mi sono detta, ogni tanto capita che uno si sente un po' a terra, un po' deluso, no,

Sì, a volte,

Capita, no, è la vita,

Sì...

E tu stai bene?

Sì, io sto bene...

A proposito, senti questa, sai che una mia amica, una giovane, la Teresa, mi fa: oh Cristina, posso farti una domanda un po' indiscreta? ma tu per caso stai già entrando in menopausa? ci sei per caso già vicina?

Chi è questa?

È la Teresa,

Cazzo è sveglia la Teresa, secondo lei a sessant'anni ancora si deve entrare in menopausa?

MA CHE SESSANTA?! MA CHE DICI?!

Ooooh, scusa sono solo cinquantanove.

Cinquantotto! Cinquantanove fra tre mesi! E portati proprio alla grande, sfido chiunque! Non farei il cambio...

Con una ventenne, sì, lo so...

Sissì, proprio così, se vuoi saperlo. È proprio così.

Occristo.

Vabbè, cambiamo discorso, lo vedi sempre quel tipo, quel tuo amante sposato?

Sì, ci vediamo spesso,

E sei innamorata?

Sì, credo di sì,

Oh! Adesso fai la ragazzina,

...

Tu non sei mai stata ragazzina, hai cominciato a scopacchiare in giro a quindici anni,

Anche prima se è per questo,

Anche prima?

Sì anche prima,

Quella, la moglie di lui prima o poi vi fa un culo così,

Ma dai non ci facciamo scoprire,

Sì non vi fate scoprire! Quella vi fa un culo così,

...

Stai attenta che le donne oggi possono portare via pure le mutande ai mariti eh, adesso si sono fatte furbe, mica sono tutte sceme come me,

Cosa c'entri tu,

Io non ho preso nemmeno una lira da tuo padre,

Forse perché mio padre non ha nemmeno una lira,

È vero, questo è vero, quando ci siamo sposati è stata mia madre che gli ha comprato un pacchetto di sigarette, era nervoso e doveva fumare e non ci aveva nemmeno i soldi per un pacchetto di sigarette, ti rendi conto?

Sì, ma perché me lo devi tirare fuori adesso, perché adesso devi pensare a queste cose,

Mi ha telefonato l'altro giorno, voleva invitarmi a cena, poi sono sicura che voleva scopare, tuo padre è fuso,

...

Ah, che sfortuna che ci ho avuto io nella vita, mia figlia vive all'estero, tutti quelli che conosco sono così fuori di testa... e pensare che avrei potuto fare tante cose io nella mia vita, se avessi avuto un po' di fortuna ce la potevo fare... eh! non è andata così,

E poi vi siete visti con papà?

È venuto a pranzo oggi, ha portato due filetti, erano immangiabili, erano così duri, e io ho aperto dei fagiolini in scatola, però abbiamo bevuto un vino buono, ce l'avevo io, mi ha detto che voleva festeggiare l'otto marzo, ma io l'ho pregato di non lasciarsi influenzare dalla pubblicità, gli ho detto che la pubblicità vuole solo sfruttare la festa della donna, vuole solo sfruttare le donne, come sempre, gli ho detto di ignorare il fatto che l'otto marzo sono tutti lì a strombazzare che belle le donne, oggi le festeggiamo. Sei d'accordo?

Sì,

Lui ha fatto come gli avevo detto, non mi ha regalato niente, anche perché secondo me è di nuovo a terra, secondo me non ci ha nemmeno gli occhi per piangere, come quando ci siamo sposati,

Non ti ha regalato niente,

No, mi ha dato solo quello che poteva darmi,

Cazzo mamma! Poi sono io quella volgare,

La sua presenza, mi ha dato questo, così mi ha detto, è venuto qui ci siamo fatti questi due filetti duri, immangiabili e poi è stato un po' di tempo a sparare le sue cazzate, sai come fa lui,

Cosa ha detto?

Mi ha chiesto come sto, gli ho detto come mi sento, che mi sento sola, sola nello spazio, mi sento come una che è stata abbandonata da tutti,

Dai ma' non dire così,

Sì sì, ma tanto poi mi tiro su, non aspetto mica lui per tirarmi su, sabato sera vado a ballare con la Marisa.

Così va bene,

Sì, adesso forse vado a farmi un caffè,

Perché no,

Mi metto un po' di musica, sai che mi metto, mi metto Vasco, che ne dici?

Buona idea...

È forte Vasco, quando fa: *mi viene il vomito...* o Caetano Veloso, sai che mi sono comprata un disco di Caetano Veloso, quanto mi piace quell'uomo, mi piacerebbe avere un uomo così, a te no?

Eh non è niente male il vecchio Caetano.

Bell'uomo, sì... Ah! Io col mio personale avrei potuto averlo un uomo così, e invece... guarda con chi sono andata a finire...

Ma' ti ricordi quando ero piccola che ti piaceva Piero Angela?

Chi?

Massì, dai Piero Angela,

Ma chi quello che fa Quark?

Credo di sì, proprio quello,

Non me lo ricordo,

Poi ti piaceva l'attore Giuliano Gemma, te lo ricordi?

Eh madonna, quello ci aveva quegli occhi verdi verdi, con la fossetta qua, in mezzo,

Qua dove,

Qua, sul mento,

E poi ti ricordi che avevi visto uno, un tipo che lavorava in un negozio che gli assomigliava e passavamo sempre davanti a quel negozio e andavamo sempre a parcheggiare là davanti per vedere giulianogemma, così lo chiamavamo, giulianogemma tutto attaccato, almeno io lo pensavo così tutto attaccato, ti ricordi,

Sì, ma cosa vai a ricordarti, tu!

Occhei.

Però questo Caetano Veloso mi mette malinconia un po'.

E allora lascia perdere, metti su un'altra cosa,

Sai cosa mi metto, mi metto Fiorella Mannoia allora,

D'accordo,

Mi piace quella canzone che dice *noi dooonne sia-amo cosiiiì... un po' complicate sempre più emozionate puoi trovarci quiiiiii....*

Madonna canti proprio bene...

Eh sì, voglio stare su, la malinconia mi fa tristezza,

Certo,

Poi voglio uscire, non voglio guardare la tivvù, è così triste guardare la tivvù da soli! Non ti pare la cosa più triste del mondo?

Le ho detto di sì e poi ci siamo salutate con le solite frasi, lei mi ha detto di stare attenta e di vestirmi bene, io le ho detto di non preoccuparsi per me e poi, quando ho messo giù mi sono sentita come se fossi andata in guerra e mi fossi beccata un paio di pallottole, o anche come se fossi saltata su una mina, il fatto è che non vedo nessuna croce rossa in giro per soccorrermi.

26.

Felix ha chiuso la porta con un colpo che ha fatto tremare i vetri, poi ci siamo baciati, io coi piedi freddi e le scarpe bagnate, lui tutto zuppo. Quello che abbiamo preso è un temporale primaverile. Mentre ci baciamo mi sono messa a immaginare che la casa prendeva fuoco, poi ho guardato di nuovo un gruppo di cherubini smilzi che suonano la tromba, l'arpa, il mandolino e il violino, ho dato un'occhiata al mucchio di oggetti accatastati in un angolo del salottino, l'aspirapolvere, l'asse da stiro bruciacchiato, i due ferri da stiro, lo scaldatoast arrugginito, mi sono girata verso l'impianto elettrico sul muro all'ingresso e ho immaginato che mentre stiamo facendo l'amore quello comincia a sfrigolare, noi due sul letto e il muro di fuoco che piano piano si avvicina, tutti gli elettrodomestici che bruciano, un fumo nero che ci riempie i polmoni, noi che moriamo senza accorgercene. Dico: È sicuro questo impianto elettrico?

Devo farmi una doccia, certo che è sicuro,

Cosa c'è, sei stanco?

Oggi è andata male, una giornata così squallida, sai qual è la cosa più insopportabile per me? Foto tecniche di oggetti di design. Tutta questa merda di oggetti inutili di design. Non devi inventare niente, nessuna creazione, nessuna ricerca d'inquadratura, niente. Un putain d'oggetto su fondo neutro. Devi solo fotografare in modo che si veda per benino lo stronzo oggetto di design, fotografarlo sul limbo e basta, lo sai cos'è il limbo? Un fondo bianco senza orizzonte senza profondità né niente, bianco limboso, un cazzo di fondo neutro inesistente. Quanto mi sento frustrato, non te lo puoi immaginare. E poi non lo so fare nemmeno, ci vuole una gran tecnica per queste cose, e io mica ce l'ho tutta questa tecnica, io sono creativo, ci devo mettere l'anima, devo dare tutto me stesso, tutto, fino in fondo all'anima,

Sei così anche nell'amore?

Certo, cosa credevi, che sono un robot?

Sai una cosa, ho detto, quando ero ragazzina ogni volta che andavo a letto con qualcuno mi innamoravo persa, e avevo subito bisogno di rivederlo, passavo tutto il tempo a chiedermi se lui mi amava e se voleva stare con me, ero un po' ossessiva, però mi passava presto. Un giorno sono rimasta un sacco di tempo a chiedermi se quelli con cui avevo scopato mi amavano, così avevo deciso che non avrei amato più nessuno, mi faceva uscire troppo di testa, basta, non amo nessuno e nessuno ama me mi ero detta,

E ha funzionato?

Ah, gli uomini!

È una battaglia che fai,

Con chi?

Col sesso forte,

Perché forte? la forza non è solo quella muscolare, spero che sarai d'accordo con me,

Ah no? fa lui iniziando a togliersi i jeans, i calzini, la camicia e l'orologio,

Un giorno di questi dovrà esserci un mondo nuovo, mi dicevo da ragazzina, dovrà esserci un mondo dove le ragazze saranno come dei forti guerrieri, libere e decise e capaci di prendere a calci in culo tutti quelli che gli rompono le scatole, e anche tutti i figli di puttana che dicono di amarle...

Allora dici che la forza non è solo quella dei muscoli, secondo te è così?

Sai cosa mi ha detto Serge una volta, mi ha detto che lui non ci trova quasi più gusto a fare l'analisi agli uomini, dice che gli uomini hanno questo modo di pensare così prevedibile e elementare,

Mentre le donne?

Lui trova che sono più interessanti, più complicate e profonde anche, Serge dice che le donne hanno una capacità di cogliere le sfumature negli altri e nei rapporti che i maschi non hanno quasi mai.

Che stronzate!

Questo è quello che dice lui. Ti è caduto qualcosa dalla tasca,

Ah... e così... così dice tuo marito?

Sì,

E poi che altro dice?

Io continuo a parlare dando un'occhiata a un sacchettino blu stretto da un nastro colorato che gli è uscito dalla tasca, dico: Serge trova che tanti maschi vivono sottomessi a donne che gli fanno paura, può essere la moglie o la madre, l'amante o la fidanzata ma sono sottomessi e hanno paura, per questo covano risentimento e aggressività, e a quel punto vogliono farla pagare, specie quando la donna è più intelligente e forte di loro. Per questo quel tipo va in giro a strangolare le donne e a strappargli gli orecchini.

Tu pensi che è per questo che quel tipo uccide? Perché ha paura?

Non lo so, potrebbe anche essere così. Cosa c'è in quel sacchetto?

Sei curiosa, eh?

...

Comunque a me piacciono le donne intelligenti,

Be' anche mio marito dice la stessa cosa,

E tu gli credi?

Sì, certo che gli credo,

Ehi pensa una cosa, pensa se fosse lui il serial killer, lo strizzacervelli assassino!

Ma va' al diavolo, va'...

Occhei, vado a farmi la doccia.

Però ce ne sono tanti di maschi così, che se la fanno sotto se hanno a che fare con una donna in gamba. Sai una cosa,

Parla più forte, con l'acqua non ti sento,

Sai una cosa, pensavo che ci sono dei particolari del corpo di un uomo, del suo odore e del suo modo di muoversi che mi danno alla testa come se mi ubriacassi.

Tipo? fa lui e intanto il bagno comincia a riempirsi di vapore, e io torno in camera da letto e mi avvicino al comodino dove Felix ha posato il sacchettino blu che gli è caduto di tasca e lo apro e quando vedo due piccoli orecchini d'argento con delle pietrine rosse di corallo mi viene un colpo. Cerco di capire se sono usati, ma sembrano nuovi. Sul sacchetto c'è il nome di un negozio di bijoux di rue Rambuteau.

Il mio cuore lui è partito in quarta e io mi sono messa a pensare una scusa per andarmene da lì. Felix però mi sta chiamando, e io torno da lui. Ho spostato la tenda della doccia per guardarlo, lui ha allungato una mano per tirarmi sotto, io gli ho detto che non voglio bagnarmi i vestiti. Oh ti prego! fa lui. Gli ho detto: Ti insapono la schiena, per prendere tempo. Lui mi ha passato la saponetta e si è girato, sono salita sul gradino della doccia e mi sono bagnata un po' la camicia, mi sono rigirata un paio di volte la saponetta nelle mani e ho cominciato a carezzargli la schiena, la nuca e le spalle. La camicetta a questo punto è completamente zuppa ma non riesco a pensare a lei adesso.

Sposto le mani e vado sui fianchi e poi sulla pancia e le cosce. Continuo coi fianchi e la pancia e il culo, il sapone fa una schiuma che odora di colonia per nonne, gli dico, Questo era il sapone di tua madre? Lui ha detto, Lascia perdere allora, non usiamolo. No, no, dico io, senza sapone non scivola bene la mano, e continuo a andarmene su e giù per il torace, dal collo alla pancia, poi riparto con le spalle, gli insapono le braccia e le ascelle, prima la destra e poi la sinistra. Sento la mia voce che dice: Cosa sono quegli orecchini di là?

Nel sacchetto?

Sì nel sacchetto,

Ah... volevo... volevo farti un regalo.

Non dire stronzate, io non li porto gli orecchini, e quelli sono per chi ha le orecchie bucate,

Non li porti?

Non mi dire che non te n'eri accorto, Felix non mi dire cazzate,

Occhei, ho fatto una gaffe, d'accordo, sono per Monique, è il suo compleanno, le ho fatto un regalo,

Hai scopato con tua moglie?

Eh? Cosa?

Hai scopato con Monique?

No, quando? ha fatto lui.

Non so, ieri, l'altro ieri. O oggi.

No.

Davvero?

È sempre stanca, non posso nemmeno avvicinarmi in questo periodo, è sempre nervosa.

Va bene,

Cosa credevi?

Chi io?

Pensavi che gli orecchini... pensavi di trovarti insieme al tipo che va in giro a strangolare le donne?

Non si sa mai,

Tu sei matta, dammi un bacio,

E poi è successa questa cosa, che gli ho visto due segni sul petto, sono due righe rosse orizzontali sopra il capezzolo sinistro, sono due righe sottili rosso scuro, dev'essere uscito un po' di sangue e sta cominciando a cicatrizzare. Ho pensato a

Monique, ho pensato a Felix che scopava con lei, non è una bella sensazione. Mi sono riempita di nuovo le mani di sapone e poi gliele ho appoggiate sul culo massaggiando coi classici movimenti circolari, Sai che il tuo culo è davvero uno spettacolo? ho detto,

Ah, finalmente un complimento,

Hai queste chiappe che se ne escono in fuori dalla curva dei reni con un guizzo, e poi si ricollegano alle cosce con questa linea così armoniosa.

Mi sto eccitando, ha detto lui mentre io continuo a passare e ripassare le mani sul culo e sulla schiena e scendo fino alle gambe con i peli scuri e i muscoli, vorrei fargli ancora una domanda, vorrei chiedergli ancora cosa sono quei segni sul petto, ma ho paura che la risposta non mi piacerebbe per niente.

Si è girato verso di me, mi ha detto, Guarda, guarda che bella sorpresa abbiamo qui. Ho guardato il suo uccello diritto, con le palle gonfie. L'uccello ha guardato me. L'acqua della doccia ha continuato a bagnarmi i vestiti.

27.

È piuttosto nota l'avversione di Freud per l'esperienza mistica... mi ricordo, sì, se non sbaglio doveva essere in Das Unbehagen in der Kultur, credo fosse proprio lì che Freud diceva: per quel che mi riguarda, per quanto possa provare non riesco a sentire in me alcun sentimento mistico, alcuna esperienza estatica... Stava rispondendo a Romain Rolland, che gli rimproverava di non avere preso in considerazione, in un altro suo scritto, l'esperienza mistica, il cosiddetto sentimento oceanico. Lui gli risponde in modo piuttosto secco, come ti dicevo, però poi in seguito questa storia del sentimento oceanico non gli dà pace, lui cerca di torglierselo di torno, cerca di analizzarlo, continua a scrivere nelle sue lettere che la mistica è per lui qualcosa di precluso, come la musica, del resto,

Anche per te la mistica e la musica sono due cose fuori dal mondo, eh?

Ah sì, io non ho nessun orecchio, sono proprio sordo da quel lato.

A me invece questa cosa che tu e Freud chiamate il sentimento oceanico mi piace moltissimo, ah io vorrei starci sempre dentro a questo sentimento oceanico,

Però, questa pasta al sugo non è affatto male, lo vedi che se vuoi sai cucinare bene!

Come no,

L'hai fatto tu il sugo?

No, non l'ho fatto io, l'ho comprato già pronto, non lo so fare il sugo,

Invece sai fare un mucchio di cose se vuoi, è solo che non vuoi veramente farle, per questo poi passi il tempo a dire non so fare questo, non so fare quest'altro...

Senti un po', questo Romain Rolland è un filosofo,

Be', più che altro è uno scrittore e un musicologo, fra lui e Freud era nata una forte amicizia.

Ho capito,

Perché?

Be' ti sembrerà un po' grezzo ma sono andata a pranzo in un caffè, è un posto dove hanno tanti tipi d'insalata coi nomi di filosofi e ce n'è una che si chiama proprio così, salade Romain Rolland.

Quale caffè?

Si chiama i-il ca-caffè des Philosophes,

Ah sì, certo, lo conosco, vicino Bastille,

Perché, ci vai?

No, sai benissimo che non ho il tempo di andare da nessuna parte, e tu ci vai?

Io... sì, ci vado certe volte da sola o con Claire o con...

Ah,

Sì, quando pranzo fuori,

Sai che Rolland ha avuto un curioso rapporto con Freud. Lui si era dovuto rifugiare in Svizzera perché era un pacifista ante litteram,

Questo Rolland ne faceva di cose,

Aveva questa posizione di rifiuto totale della guerra e così gli interventisti francesi lo avevano minacciato, si era attirato l'odio di tutti. Così va in Svizzera e Freud in quel periodo attraversava invece una breve fase di entusiasmo per la guerra, che poi naturalmente ha superato, fino ad approdare alla sua ben nota posizione pacifista di cui parla in una famosa lettera a Einstein... la conosci? La lettera in cui parla di intolleranza costituzionale nei riguardi della guerra...

Ho capito.

Ti annoio?

No, continua,

Be', ti dicevo c'è questa curiosa lettera dove Freud risponde a Rolland e gli dice: caro Rolland posso confessarle che non ho mai sentito questa misteriosa attrazione, da uomo a uomo, così forte come nel suo caso, può darsi che questo sia da collegarsi alle nostre diversità...

E bravo il vecchio Sigmund,

Capisci che apertura, che libertà mentale! Stiamo parlando di due uomini che si scrivono nel 1930 o giù di lì...

Mh...

Sai, è che Freud doveva per forza fare attenzione a tutto quello che succedeva nella sua mente, quello era il suo modo di fare l'analisi, no,

Certo,

Sei stanca?

Sono a pezzi,

Stai lavorando molto?

Un po', sì,

Hai le occhiaie,

Dici?

Sì, sei pallida,

Oh ma forse è solo che sento l'arrivo della primavera.

Senti, hai letto questa notizia?

Quale?

Dicono che c'è stato un aumento pazzesco nella vendita di serrature di sicurezza e porte blindate, e anche di cani da guardia,

Per cosa, per il serial killer?

Eh sì,

Ma cosa c'entrano le porte, lui entra in casa facendosi aprire, non ha mai forzato le serrature di quelle che ha ucciso,

Dici?

È così, ho letto parecchie cose su questo serial killer,

Ah sì?

Proprio così,

...

Serge, tu che ne dici? Voglio dire, come te lo immagini tu un tipo del genere, uno che uccide così le donne, che fa questi riti, gli orecchini eccetera...

Uno dei punti scatenanti dell'aggressività è da ricercarsi nella sua storia famigliare, ovviamente,

Come sempre,

Quello che si riscontra nel passato di queste persone è spesso una storia di litigi, violenze e mancanza d'amore da parte dei genitori. Poi è sempre centrale il rapporto col padre, in quasi tutti gli assassini psicotici c'è una grossa assenza e dei traumi legati alla figura paterna,

...

Una famiglia che non dà amore, e spesso infligge punizioni fisiche e psicologiche,

Va bene, però senti, la maggior parte delle persone che conosco io ha avuto un'infanzia schifosa e delle famiglie pazzesche, perché non sono tutti serial killer?

Dipende fino a che punto le infanzie sono state schifose, se per esempio un bambino riesce a avere intorno almeno una figura positiva, almeno un rapporto buono, le cose cambiano molto, se un bambino ha avuto dei traumi ma ha una buona socialità, degli amici, dei parenti, cambia tutto,

Ho capito,

Io questo collezionista di boucle à oreille me lo immagino così, un tipo solitario fin da bambino, grosse difficoltà nei rapporti sociali, soprattutto con le donne, ovviamente, anche se potrebbe essere un tipo dotato di un certo fascino. Visto che con tutte le donne che ha ucciso ci ha prima fatto l'amore, potrebbe essere un seduttore. Il tipo che all'inizio piace. È uno che corteggia le donne sole, magari nei bar, nei grandi magazzini, o per strada. Porebbe essere uno che si nutre di pornografia, o che ama spiare le donne dalla finestra, seguirle...

...

Inizia delle relazioni, fa l'amore qualche volta, finché comincia a diventare più violento, per lui il desiderio sessuale è legato alla rabbia, ha aggressività nelle sue fantasie e anche nel modo di scopare. Poi l'aggressività aumenta, fino ad arrivare all'omicidio. Ma anche quello non basta, e lui attiva un'altra componente sadica, si porta via un ricordo delle sue imprese, e allo stesso tempo ci mette come una griffe, un suo marchio per dire al mondo che quel lavoro è roba sua.

Per questo strappa gli orecchini,

Che tra l'altro sono un simbolo chiaro, quasi banale della femminilità.

Porca puttana, Serge!

Cosa c'è?

Ma cazzo, stai facendo un ritratto, sembra che lo conosci, cazzo mi fai venire i brividi!

È il mio mestiere, tesoro,

CHE COSA?

Che cosa, intuire quello che passa nella testa delle persone, soprattutto di quelle più disturbate.

No, ma mi fai venire un'angoscia!

Perché?

Perché, cazzo, mi sembra che potrebbe essere... che ne so, potrebbe essere chiunque, a questo punto, incontri un tipo per la strada, ti guarda un po', e merda, magari è lui,

No, chiunque no.

Porca miseria,

Ti dico ancora qualcosa?

Sempre sul tipo?

Secondo me è un ossessivo, uno che ha un comportamento di tipo ossessivo, con fobie, tic, rituali, scatti violenti di collera...

Serge continua a parlare e io ho cominciato a sudare, ha cominciato a battermi forte il cuore. Lui mi ha puntato addosso due occhi tipo riflettori, ha detto: Ma cos'hai? Ti fa così impressione?

Sì,

Sei diventata paonazza,

Eh, lo credo,

Chérie devi imparare a non cadere sempre in queste paure infantili,

Infantili un cavolo,

Sul serio adesso ti sei fissata su questa storia del serial killer?

Be', fissata no... un po', sì,

Ma comunque senti, tu non sei una donna sola, le cinque donne che lui ha ucciso erano tutte singles, è l'unico punto in comune che avevano,

E il quartiere,

Ah sì, il quinto arrondissement,

Il nostro, ti segnalo,

Vabbè, ma poi pensa anche che questi profili psicologici possono essere sbagliati, imprecisi, non sempre questi psicopatici sono così prevedibili.

...

Ho continuato a sentire le gocce di sudore che mi scendono lungo le ascelle e dietro la nuca, ho continuato a sentire il tum-tum del mio cuore dentro la gola. Ho pensato che mio marito anche se è un po' distratto forse è sul serio un bravissimo strizzacervelli.

28.

Quando mi sono accorta di essermi sbagliata a uscire di casa perché questa non era la mattina delle lezioni alla libreria sono rimasta a girovagare intorno a St. Paul. Mentre cammino verso place des Vosges mi dico che le strade di Parigi hanno su di me un effetto terapeutico, mentre mi muovo sento dentro una specie di immunità perfetta, mi sento vaccinata contro ogni malattia, ogni sciagura, angoscia e tristezza. Ho pensato a Serge che sta iniziando la sua giornata. Ho pensato alle ore che passa seduto a ascoltare i dolori segreti del mondo. Tutti quei pensieri che ascolta ogni giorno, dai più banali e noiosi ai più pazzeschi.

Poi ho fatto il numero di Felix, mi ha risposto al primo squillo, gli ho detto se gli andava di vederci, anche se sono solo le nove e mezza di mattina e non ci siamo mai visti a quest'ora.

Gli ho detto: Facciamo il gioco?

Che gioco?

Il gioco di Felix lo scopatore.

E come te l'immagini tu questo Felix lo scopatore?

Io me l'immagino una specie di creatura cyber, me l'immagino mezzo uomo e mezzo uccello,

Ah è così?

Dai io suono, dlin dlon,

Aspetta, non ho voglia di giocare oggi,

Ti prego,

Una sola volta però,

Sì, va bene, allora io suono, dlin dlon,

Cosa c'è? Cosa vuoi?

Sono qui per incontrare il signor Felix, il famoso Felix lo scopatore,

Sì, come no, tesoro, tutte qui vorrebbero incontrare il grande Felix, guarda c'è la fila,

Nooooo...

Cosa no, allora, carina, mettiti in fila come tutte le altre.

Va bene.

Prima però fammi vedere i documenti, ti devo registrare,

Ma io non ho i documenti,

Sei una clandestina?

Sì, sono un'italiana, sono venuta a Parigi solo per incontrare il famoso Felix,

In questo caso non c'è niente da fare, tesoro, tornatene al tuo paese, raus!

No, ti prego, ti prego, fammi vedere Felix almeno una volta, fammelo almeno solo vedere non lo voglio neanche toccare, fammelo solo vedere un momento, da lontano, vestito, se vuoi,

Oh piccola, mica è così semplice, sai,

Ti prego, una volta sola! Vestito!

No, devo prima controllarti, devo farti il check in,

Ma perché?

Perché potresti impregnare Felix di energia amorosa medianica, potresti fargli un sortilegio come sapete fare voi femmine diaboliche,

Ma io...

Ssss, silenzio, io devo proteggere il fantastico Felix dalle femmine come te, io sono pagato per avere questo istinto di protezione verso Felix,

Allora senti, se non riesco a vedere Felix diventerò una femmina schizofrenica, se non lo vedo mi accadrà qualcosa di strano, lo sento,

Senti, tesoro, io non sono sicuro che sia proprio un bene per te vedere Felix lo scopatore, non ne sono sicuro, mi sembri già parecchio su di giri, e non posso prevedere l'effetto che il grande Felix potrebbe avere su di te,

Be', non sta a te decidere, ti pare?

Cosa dicevi prima? Hai detto che potresti diventare schizofrenica se non riesci a congiungerti col grande Felix?

Proprio così, sì, volevo dire questo,

Ahi ahi!

Penso che potrei perdere il controllo da un momento all'altro,

Va bene, le tue parole mi hanno emozionato, le emozioni conquistano il cuore di tutti, ti rivelo che sono io Felix, Felix lo scopatore in persona.

Ohhhh Feliixx...

Sì, sono io,

Ooohhhh...

Sei già bagnata?

Sì,

Succede.

Sì lo so,

E sei già pronta a congiungerti con Felix?

Ci puoi giurare,

Va bene, senti non so neanche come ti chiami,

Chiamami come preferisci,

Quando è così, eccomi qua,

Oh Felix, questa è un'esperienza extrasensoriale,

Vorrei che durasse per sempre,

Non è possibile, niente dura per sempre,

No?

No, niente.

Va bene allora tu fai la razionale e io faccio il matto irrazionale,

Ah no, io voglio essere il matto irrazionale, chi se ne frega di fare la razionale,

Non sei una persona razionale?

No, e poi io non sono una persona,

E cosa sei?

Sono una cellula sessuale, servo a tramutare le persone in sentimenti.

È questo il tuo compito?

Sì,

È questo il tuo compito sul pianeta Terra?

Sì, grande Felix.

Ti sento dentro la pelle,

Tu non hai tante emozioni, sei Felix lo scopatore, non te lo dimenticare,

No, ma queste sono emozioni, e sono sentimenti, vuoi sentirli ancora meglio?

Sì, fammi toccare con mano... Uau!

Incredibile, non è vero?

Incredibile, sì, e cos'hai detto che era questo?

Questo è emozione e sentimento, questa è un'arte.

No, grande Felix questa non è un'arte, dai, questa non è arte, questo è scopare,

No, no, invece lo è, senti, senti ancora.

Ooohhhh...

Eh?

Occazzo...

Allora?

Oh merda,

Ti dico che questa è arte, ne ho sentito parlare da esperti e lo dicevano anche loro...

Ugh...

29.

Dopo che abbiamo fatto l'amore mi sono convinta che Felix è pazzo. Si è messo a aprire e chiudere le mani a scatti, di colpo gli è venuta un'aria delusa, senza motivo.

Ha detto: Tu non capisci il mio problema,

Sì?

È che vorrei potermi arrendere a una donna. Vorrei una donna che mi portasse via da me stesso, ma per riuscirci dovrebbe essere migliore di me. Dovrebbe avere un cuore oltre che una fica. Deve farmi credere che ha bisogno di me, che non può vivere senza di me, devo sapere che mi è fedele.

Oh...

Non dici niente?

Senti, mettiamo che la trovi una donna così, cosa faresti?

Cosa farei? Sarei felice! Non mi fregherebbe più niente di quello che succede in giro, non avrei più bisogno di niente, amici, fotografie, soldi, niente.

...

Quello che mi rode dentro è che non riesco a esprimermi! Non riesco mai a farmi capire. Le cose che ho dentro, dico, merde! Forse dovrei trovarmi un bravo psichiatra.

...

Non uno di questi coglioni con la barbetta che c'è in giro. Come puoi fidarti di questa gentaglia! Tu riesci a parlare di te, e poi scrivi le tue poesie, hai le tue amiche e di me non ti frega niente. Ma forse hai ragione. Accidenti, non vorrei essere sempre così ipercritico.

...

Tu però sai ascoltarmi, se potessi parlarti sempre forse me lo toglierei questo peso che ho sullo stomaco, so che di me non ti frega molto, ma almeno tu hai pazienza, mi stai a sentire, mia moglie non mi sta più a sentire. Magari però tu annoti tutto nella tua testa e mi vai a sputtanare in giro. Fa niente.

Ho continuato a guardare Felix che è partito per la tangente, il mondo si ritrae e prende le dimensioni della sua paranoia e io comincio un po' a soffocare. Cerco di adattarmi ai suoi monologhi deliranti, mi metto a pensare a altro e poi dico le battute che ci vogliono, istintivamente, quando lui fa una pausa.

Ha detto ancora: Quando ero ragazzo sarei scappato ovunque, sarei andato via da quel posto dove sono nato a qualunque costo. Però avevo la sensazione che non esisteva un posto dove poter scappare, da nessuna parte,

Perché?

Perché tanto uno come me si sentirà sempre in esilio, si sentirà sempre un tagliato fuori, estraneo a tutto. Me l'hanno detto anche degli psichiatri, delle persone che ho visto, a me è andata male. Prima questo padre stronzo e violento, questa madre sottomessa e pazza... non ho mai sentito amore intorno a me, mai una parola buona, una carezza. Cosa vuoi che venga fuori.

Senti una cosa Felix, tutti abbiamo delle storie di merda alle spalle, tutti quanti abbiamo avuto dei dolori, non siamo stati capiti eccetera. Però vuoi sapere cosa penso io a questo punto? Penso che non è importante solo quello che ti è capitato, non contano solo i dolori le sfighe e i traumi, conta parecchio quello che decidi di farne di tutto questo, da adulto.

Oh sentila!

Io la penso così, ci sono persone che hanno avuto tragedie incredibili, prendi mio marito, lui ha avuto tutta la famiglia sterminata nei campi di concentramento, stiamo parlando di venti trenta persone, il padre, i nonni, cugini, zii, tutti. Sono spariti tutti, è rimasta solo la madre. Eppure Serge ne è venuto fuori, è diventato una buona persona. E poi ci sono quelli che sono nati piuttosto fortunati, hanno avuto padre e madre normali e tutto il resto, magari hanno avuto anche dei soldi e ora sono dei coglioni col botto.

Dici così tu?

Sì, proprio così,

A vent'anni anch'io lo credevo, anch'io pensavo che le cose potevano cambiare, infatti sono scappato dall'Alsazia e sono venuto a Parigi, erano gli anni settanta, ah quello era un buon momento, ne succedevano di cose. Non avevo soldi, ma allora potevi sopravvivere a Parigi senza soldi, oggi non puoi più sopravvivere né a Parigi né ovunque in Occidente,

Questo me l'hai già raccontato,

Allora facevo le foto che volevo, c'era una bella situazione, vedevo gente della Cinémathèque, registi, attori, psichiatri alternativi, erano tutti alternativi. Avevo fatto questi reportage sui manicomi liberati, a Laborde c'era Oury e Guattari, in Italia Basaglia, il mio maestro.

Anche questo me l'hai già detto,

Be', lasciamelo ripetere, no,

D'accordo.

Una volta in una manifestazione mi hanno anche rotto la testa, te l'ho detto? I poliziotti mi hanno picchiato davanti all'Odeon e mi hanno spaccato la testa. Pensavo di morire. Ah putain! Ma che bei tempi. Ti sembrava di poter cambiare il mondo, l'amore, la politica, tutto. TUTTO, TUTTO, CAZZO. Se non hai vissuto quel periodo non te lo puoi immaginare.

E poi?

E poi è finito tutto, e siamo arrivati negli anni ottanta e per tirare su un po' di soldi ho cominciato a fare fotografie di moda. Monique voleva una situazione sicura. Io volevo fare i reportage sociali, volevo viaggiare e fotografare il mondo e essere libero, fregarmene dei soldi, del conto in banca, della macchina, e invece mi ci sono ritrovato dentro completamente.

Stai di nuovo incolpando tua moglie,

E allora? Non posso dire quello che penso? Neanche con te?

Non sei riuscito a fare quello che volevi e stai dando di nuovo la colpa a tua moglie.

Be', quando hai dei figli e un mutuo di una casa da pagare non puoi permetterti di andartene in giro a fare i reportage sociali, non puoi partire senza avere un giornale dietro, ti ci vorrei vedere a te, parli parli e non sai di cosa parli.

Ma qualcuno l'ha fatto, c'è gente che l'ha fatto,

Dai non mi va di parlare di questo,

Diventi triste?

Sì divento triste,

Allora cambiamo discorso,

Va bene.

Ha guardato verso la finestra e poi è esploso in un sorriso, ha detto: Secondo te perché esiste un muro del pianto e nessuno ha mai pensato a costruire un muro della felicità? Perché cacchio nessuno ha mai pensato al muro della felicità, o dell'allegria o della gioia di vivere, eh? Stupida umanità!

Ti piacerebbe avere un muro della felicità?

Non sarebbe male,

D'accordo, allora se vuoi ci penso io, te lo faccio costruire apposta per te un muro della felicità,

E dove lo fai costruire?

Lo facciamo qui, tutt'intorno alla rue Emile Lepeu, facciamo questo muro che passa intorno alla nostra casetta piena di angeli e di elettrodomestici e poi ogni giorno prima di venire qui o anche dopo noi ce ne andiamo davanti al muro della gioia e ci mettiamo a ridere, cantare e a fare i salti di gioia che ne dici? Ti piace come idea?

Sì, mi sembra una buona idea. Quest'idea non è male.

Bene,

Lo farai davvero?

Perché no,

Dai tanto lo so che non dici sul serio,

...

Senti, tu stai bene qui con me?

Alla grande,

E non vorresti qualcosa di più?

Io dico che va bene così,

Senti, non vorresti sposarmi?

Sono già sposata, e anche tu lo sei,

Posso lasciare tutto.

...

Ha detto: Senti tu pensi che fra di noi è una di quelle cose da richiamo della foresta?

Eh?

Forse c'entrano i legami astrali, le convergenze armoniche e simili,

No, io non ci credo.

Come non ci credi? Tutte le ragazze ci credono!

Non lo so, no, io non ci credo,

Dai non c'è niente di male a lavorare un po' di fantasia, e lasciati un po' andare no,

No, io non ci credo a tutta quella roba, quelli che dicono che conoscono le loro vite precedenti, che parlano coi morti, le piramidi costruite dagli extraterrestri... non ci credo.

Ma dai! Perché no, io invece ci credo, io sono sicuro che noi due ci siamo già incontrati in un'altra epoca, che siamo già stati amanti,

Sì, forse nell'antico Egitto, dove eravamo dei faraoni,

Perché?

Non c'è mai nessuno che dice, nella mia vita precedente ero una mosca che si posava sulla merda,

Tu devi sempre buttare tutto sul grottesco. Senti, te ne dico una, sai che cosa penso?

No.

Penso che non è esatto dire che la vita mi ha inculato completamente,

Meno male,

Sì, perché mi ha dato qualcosa, qualcosa che ho per le mani e che non mi verrà mai più rifiutato...

Sei sicuro?

Sono sicurissimo, sto per ottenere giustizia, ora mi posso rifare di tutte le merde che mi sono capitate. Mi sto già rifacendo.

Hai uno strano modo di vedere le cose,

Vieni qui, dammi un bacio,

Va bene,

Senti, quanti amanti hai avuto? Ne hai avuti tanti eh?

No, be', insomma, dipende dai punti di vista,

Quanti?

Non lo so, non li ho mai contati,

NON LI HAI MAI CONTATI?

No, perché avrei dovuto?

Cazzo, ma sai cosa significa? Significa che ti sei scopata un casino di gente,

E allora?

Quanti saranno stati?

Ma non lo so,

Diciamo... più o meno di trenta,

Trenta? Non lo so,

PIÙ? DI TRENTA?

Non lo so, devo mettermi a contarli?

Più di cinquanta?

Senti Felix cambiamo registro, mi infastidisce,

Chissà che razza di gente ti sei raccattata,

Cani e porci in realtà, guarda qui.

Oh putain, vraiment?

Ah, va' al diavolo,

Dai non ti volevo offendere, vieni qui.

Va' a cagare.

Scusami, cazzo, dai è che mi sento un po' strano con te certe volte, non so quasi niente di te, e non mi dai sicurezza, sei una ragazza che non dà nessuna sicurezza, porca puttana!

Che sicurezza vorresti avere?

Ma non lo so...

Sono la tua ragazza, no?

Che cazzo significa che sei la mia ragazza?

Sì, è così,

E tuo marito? Dove cazzo lo mettiamo tuo marito? E gli altri uomini?

Non esistono gli altri uomini, ho detto io più che altro per mollare lì questa conversazione che non mi piace per niente,

Io ti piaccio?

Non te ne sei accorto?

Lo sai, anche se sono sempre stato un insicuro con le donne, anche se mi sono fatto più seghe che altro nella vita, una volta ero un ragazzo niente male,

Sei ancora,

Non mi fare i complimenti, li odio. Quando una donna mi rifiutava, diventavo matto, il rifiuto è una cosa che ti butta in un pozzo, ti fa entrare in un tunnel di tristezza, è una cosa atroce. Io mi incazzavo come una bestia, l'avrei uccisa, l'avrei fatta a pezzetti e me la sarei mangiata, il rifiuto di una donna mi manda in bestia, è come un fulmine che si scarica lentamente, e ti fa soffrire, ti fa star male.

Sai tesoro che stai facendo un ritrattino di te niente male?

Trovi?

Comunque ascolta, non sei per niente da buttare via. Magari, con una nuova pettinatura... A questo punto mi sono messa un po' di saliva sulle dita e ho cercato di sistemargli i capelli, ma le cose non sono cambiate granché.

Le donne sono sempre state il mio tallone d'Achille, ma tu mi amerai sempre?

Accidenti, sempre è un tantino impegnativo per una ragazza come me, ho detto io al mio amante fulminato con un sorriso vagamente paraculo.

30.

Quando Tina ha qualcuno a cena comincia a preparare tre ore prima. Si dà un gran da fare ai fornelli, traffica col pesce, le verdure, le spezie il sale e il pepe e in genere prepara roba buonissima. Prepara la tavola con tovaglie colorate, candele, doppi bicchieri, posate di Habitat e piatti bianchi di porcellana. La casa di Tina è piena di piatti, tovaglie, vasi di fiori, cuscini cinesi, foulard che rivestono i due divani e le poltrone. Questa sera ha messo su Brassens, è partita per prima La mauvaise réputation e la serata mi è sembrato che decollasse bene. Io sono qui già da un po' e poi sono arrivate anche Claire e Francine. Francine lei ha quest'aspetto di ragazza scaltra, attenta e dura come un apache, ha un gran cespuglio di capelli ricci ricci scuri e due occhioni molto languidi e una spruzzata di lentiggini sul naso e sulle guance. Dal suo vestito nero attillato vraiment chic fuoriescono due grandi spalle e un notevole paio di bicipiti che raccontano che anche lei come Tina è una ragazza perché ha scelto di diventarlo. La Francine l'avevo vista un paio di volte nel negozio di Tina l'anno scorso e avevo notato che era molto più rigida nei movimenti, camminava un po' come un soldato, invece stasera mi sembra diversa, come qualcuno che non ha più nessun bisogno di stare all'erta. So che la battaglia delle strade le manca, me l'ha detto Tina, e poi ha finito una storia d'amore con un tipo veramente sinistro, anche se lei sente nostalgia, si vede subito.

Le ho detto: Come ti butta, Francine.

Lei ha alzato le spalle, si è accesa una sigaretta e ha detto: Senza Louis non è la stessa cosa. La mattina passa, il pomeriggio diventa interminabile, per fortuna la sera posso uscire e distrarmi. È quella che io chiamo la tristezza della libertà.

Tina ha aperto la bottiglia di Pouilly-fumé che ho portato io e ha detto: Ah, eccola qua la mia ragazza, la ragazza che non sa quanti uomini ha avuto,

Ah cacchio non ti ci mettere anche tu, ho detto io.

Senti ho preparato un bel cabillaud à la basquiase, che te ne pare,

Fantastico,

Piace anche a te, Claire?

Ah sì, j'adore le cabillaud!

Francine dice: Tina ti ho portato un regalino, e apre un poster arrotolato dove campeggia la scritta: NO K'POTE? NO WAY!

E questo cos'è? chiedo io.

Questo è un ricordo dello scorso gay pride, è il ricordo di una nostra amica che non c'è più.

Grazie, dice Tina con l'occhio lucido lucido di colpo, poi per cambiare subito il discorso si rivolge verso di me e fa: Insomma, senti, poche storie, se il tuo bello ti sta così addosso dacci un sano taglio, se è uno così schizzato lascia perdere, no?

Sì, forse sarebbe la cosa giusta da fare

E perché non lo fai allora, darling?

Perché perché... mi dà ansia, mi dà ansia far soffrire le persone, e poi per dirla tutta ci ho anche paura che Felix diventa violento, certe volte mi sembra davvero capace di tutto,

Come tutti gli uomini,

Non lo so, merda!

Oh oh oh, tesoro, niente paranoie qui da me stasera, Francine ha portato questo ottimo champagne e, guarda, le tue storie col cattivello per stasera te le puoi anche scordare per un po',

Felix non è cattivo,

Ma insomma cosa vuole da te il pazzo? (Claire)

Ma che ne so, vuole sentirmi tutta per lui, vuole mettermi nel recinto, vuole fare il maschio, è sballato,

E tu?

E io no, chi ne avrebbe voglia scusa,

Di cosa?

Di fare la femmina, no?

??

Ma sì, la donna che se ne sta lì, sottomessa, passiva, chiusa a chiave, dovrei vedere solo lui sulla faccia della terra.

Con la maggior parte degli uomini è così, cara, prendere o lasciare.

Be', e io, allora? Per dire, io è tutta la vita che sogno di incontrare il maschio dei mei sogni, (Francine)

Ah sì e che aspetto avrebbe questo maschione dei tuoi sogni?

Ah te lo dico subito, un uomo forte ma capace di dolcezza, e di sensibilità, di amore puro e disinteressato, un uomo che mi faccia un po' sognare, non il solito sfruttatore curiosone che cerca solo di scoparmi o di farsi fare un pompino per poi tornarsene a casa dalla moglie dicendosi: mica sono un culattone io, me lo sono fatto mettere in culo da Francine, ma anche se ha una mazza così non conta, lei è una ragazza,

Sul serio che sei così ben dotata, Francine? (Claire)

Amore sì, ma non farmi quegli occhioni languidi, non sono mai stata lesbica,

C'est dommage!

C'est comme ça,

Ma come ti senti Francine con quel... voglio dire non dev'essere facile per una ragazza andare in giro con quel... insomma, (io)

Senti io l'operazione non me la faccio, ne abbiamo discusso tante volte anche con Tina, primo perché ci sono ancora tanti uomini, troppi uomini che se mi togliessi il batacchio non mi cercherebbero più, e poi voglio dirti una cosa, io ci ho patito parecchio a sentirmi una ragazza, mi hanno umiliata, mi hanno menata, mi hanno fatto di tutto, e adesso che sto raggiungendo quasi la menopausa, scherzo, ovviamente, non ci sarò nemmeno vicina fra quindici anni, alla menopausa, però adesso, vi dicevo, adesso che mi sento una vera donna je n'en tire un certain plaisir...

A fare cosa?

Non ti seguo bene,

Voglio dire che mi sono sentita per tanto tempo con qualcosa che non andava, con qualcosa di sbagliato in me e adesso invece sapete cosa penso, penso che mi piace, e che io ho qualcosa *in più* degli altri,

Ah questo sì,

Scema! Voglio dire che ora mi sento meglio di tante altre persone, come se potessi sentire e condividere più emozioni della maggior parte delle persone,

Ho capito.

Quando avevo dodici anni un ragazzo innamorato di me mi ha buttato addosso un topo morto,

Quel horreur!

Io avevo urlato, e avevo pianto per l'offesa, questo non l'ho mai raccontato a nessuno. Me ne ero rimasta seduta su un marciapiede, con la testa tra le mani, ho continuato a ripetermi per tutto il giorno: sono forte, ce la faccio, ce la faccio, sono forte. Ecco da quel giorno ho capito che potevo essere libera se lo volevo, che nessun ragazzo mi avrebbe mai più umiliata. Da quel giorno sono diventata forte e libera. A volte però, anche il sapere che sei forte e libera non ti basta,

...

E poi, oggi come oggi, mi piace tanto fare l'amore in modo classico, farlo come lo fa la maggior parte delle persone, voglio dire,

E quale sarebbe questo modo classico, scusa? (io)

31.

Oh senti Francine tira un po' il freno, merde! parliamo di questa che non la vedo mica messa tanto bene, sono preoccupata per lei, (Tina)

Questo pesce è buonissimo! (io)

La Tina è una gran cuoca, (Francine)

Posso dire la mia? (Claire)

Ti prego!

Allora, mettiamo che un venti-venticinquemila anni fa esistevano alcune società matrilineari, mettiamo che c'erano delle sacerdotesse, e delle donne che erano rispettate, se non venerate, mettiamo che c'era anche una dea che veniva adorata, non un dio, non il dio tipo quello della Cappella Sistina, per dire, no,

Occhei,

Perché succedeva questo? Lo sappiamo, perché i maschi non avevano ancora capito cosa c'entrava lo sperma in tutta la faccenda, non avevano fatto il collegamento e se ne stavano lì a bocca aperta di fronte alle donne, forse ci vedevano come creature magiche che tiravano fuori la vita dalla loro topa così, come se niente fosse,

Va bene, ma oggi?

Da quando hanno capito tutta la faccenda secondo me hanno cominciato a vendicarsi, e la vendetta continua ancora. Forse un tempo si erano sentiti degli stronzi, dei buoni a niente e questo continuano a farcelo pagare,

Francine: Prima di tutto sul lavoro, non ci hanno permesso di lavorare, per tanto tempo, e ancora oggi, la maggior parte delle donne che lavora guadagna meno di un uomo e non arriva mai ai posti di comando,

E tu come fai a saperlo?

Io l'ho letto su Marie-Claire,

Già, poi in termini di educazione, le bambine non ricevono la stessa educazione degli uomini, ma questo è quasi un secolo che le femministe lo vanno ripetendo, (Tina)

E le religioni! I preti sono maschi, il papa e il Dalai Lama e i rabbini sono tutti maschi, e lasciamo perdere l'islam, poi,

Lasciamolo perdere,

Io sono di origine algerina, (sempre Francine)

Sul serio?

Eh oui,

E poi il presidente della repubblica francese e quello italiano e il presidente degli Usa...

Io dico: Guardiamo una cosa significativa, l'abbigliamento, tutto diventa chiaro quando si guarda la storia dell'abbigliamento, gli uomini possono portare vestiti comodi, i vestiti di chi deve muoversi e andarsene in giro per il mondo. Le donne, invece! prima ci strizzano nei corsetti, così già non resta molto altro da fare che cercare di non svenire... poi ce ne dobbiamo andare in giro con la minigonna col rischio di mostrare la passera tutto il tempo, poi dobbiamo barcollare su quei cazzi di tacchi a spillo,

Ah no, no, non toccatemi i tacchi a spillo signore perché da questo orecchio io non ci sento! (Francine)

Tina: Io nel mio negozio di fringues mi batto perché le ragazze abbiano uno stile sexy un po' selvatico ma anche molto comodo,

Bene,

Sì sì, io lo dico sempre alle mie clienti, va bene vestirsi un po' da troia, *un po'*, ma per favore non siate ridicole!

Questa è la grande lezione di Jean-Paul Gaultier, per dire.

Va bene,

Come dice Rupaul...

Chi?

Rupaul dai non mi dire che non sai chi è Rupaul, la drag queen più famosa del mondo,

E la più bella anche, il faut le dire!

Cosa dice, insomma?

Dice: We are born naked, everything else is drag,

Sarebbe?

Nasciamo nudi, e tutto il resto non è che un travestimento.

Senti passami ancora un po' di vino va',

Merda lo champagne ve lo siete succhiato in cinque secondi,

Non ce n'è rimasta una goccia,

Tina: Ho appena finito di leggere questa Sterling, la conoscete?

No,

Ancora un po' di pesce?

Sì,

Grazie, è troppo buono,

Insomma Sterling dice che l'etichettare una persona come maschio o femmina è un fatto sociale, solo un puro e semplice fatto sociale.

Claire: No scusate, ma il fatto che ci sia un uccello, delle palle, oppure delle tette (non siliconate) delle ovaie e delle mestruazioni, vorrà dire qualcosa o no?

No,

Come no,

Ma sì, questa è una cosa che ti capita, come ti capitano che ne so, degli occhi verdi o marroni, ma tutto il resto non significa niente, tutto il resto te lo impongono, è la cultura che ti infila addosso una corazza, la corazza del genere: maschietto, femminuccia, o sennò mostro! e tu dovresti comportarti come hanno deciso loro.

Allora vuoi dire che sarebbe come se tutte le persone che

nascono con gli occhi verdi devono essere per esempio dolci, passive e sottomesse e non devono avere voglia di viversi la loro vita e andarsene in giro per il mondo e fare le loro esperienze, no?

È così,

Va bene.

Io non vi seguo,

Senti ma non sarà mica lui, il tuo tipo il serial killer, quello degli orecchini?

Oh no!...

Dai stronze lasciatela stare, lasciatela in pace questa poveraccia,

Fa niente, allungatemi ancora un po' di Pouilly, dai,

A questo punto mi sono accorta che la musica è cambiata. A questo punto è arrivata la Billie Holiday che si è messa a cantare: *Some day he'll come alooong... the man I looove... and he'll be big and strooong... the man I looove...*

32.

Mentre lo aspetto al nostro caffè mi è venuto in mente che quando ero una giovanetta ingenua e avevo scoperto che cos'era il sesso e che cosa si prova carezzando il corpo di un ragazzo avevo capito che questa era la cosa migliore al mondo. Era il modo migliore per sentirsi vivi. Mi ricordo che un pomeriggio avevo attraversato la strada di corsa e una macchina stava per mettermi sotto, e io avevo pensato soltanto: merda! se fossi morta senza conoscere il sesso, che tragedia!

Felix è arrivato sulla sua Alfetta rossa, si è messo a pestare sul clacson e mi ha fatto segno di salire. Oggi ha su un paio di occhiali da sole grandi, scuri, che gli rimpiccioliscono la faccia. Ha addosso un completo viola chiaro e una camicia rosa con un gran collo, ha anche un paio di stivaletti a punta. Ho pensato a una citazione di Bob De Niro in Casinò, il film dove Bob indossa tutti quegli incredibili completi seventy's. Quando Felix ha tirato fuori una sigaretta e un bocchino ho avuto la conferma che quella *era* una citazione del film di Scorsese.

Ha detto: Oggi mi sento da dio! Mi sento in gran forma, c'era anche un bel sole, prima, hai visto? Stamattina ho fatto un servizio a una superfiga, ho fotografato tutto il tempo questa modella del Ghana. Che figa allucinante porca miseria! Secondo me me la dava se ci provavo,

È una giornata stupenda,

Non sei felice?

Sì.

Sei felice in genere o lo sei di più quando ci vediamo e facciamo l'amore?

Sono felice, forse questo è il trucco del sesso.

Senti, perché ti sei messa dei jeans così stretti?

Ti sbagli, non sono tanto stretti.

Invece sì, ti fasciano il culo, e gli altri ti possono vedere, e io sono geloso, anche se mi eccito a guardarti il culo nei jeans stretti.

Oggi sei arrivato con un'ora di ritardo.

Sono tornato in palestra, e questo mi ha messo addosso un'eccitazione pazzesca,

Siamo arrivati dalle parti di Stalingrad, ci siamo fermati sotto la sopraelevata del metrò aérien, sono le sei e non c'è tanta gente in giro. Ho detto: Adesso me li tolgo i miei jeans stretti,

Hai visto, che ti dicevo?

Di cosa?

Avevo ragione io, i tuoi jeans sono stretti,

Felix, fermiamoci qui,

Vuoi che lo facciamo qui, in macchina?

Perché no,

Ma è duro, è scomodo,

Tu non ti preoccupare, gli ho detto, e ho cominciato a aprirgli la cerniera dei pantaloni, gli ho ficcato dentro la mia manina e lui ha detto, Mi sento davvero su di giri.

Mi sono messa a cavalcioni su di lui con un solo movimento. Anche se non sono molto leggera, in certe situazioni riesco a muovermi con una certa grazia, in certi momenti posso diventare una specie di ballerina classica.

Quando sei eccitata non capisci più niente, ha detto lui.

Adesso devi sfoderare il meglio di te stesso, io cercherò di fare altrettanto. Gli ho accarezzato l'interno delle cosce, e lui ha detto: Sto per esplodere, poi ha detto: Sono pronto a tutto,

Va bene, ho detto io,

Dimentica qualunque cosa, non pensare a niente, pensa che sei a bordo della mia nave anarchica di sessualità perversa.

Questa è una cazzata,

Non ti piace?

Non importa,

Fanculo, non ne dico mai una giusta,

Hai un odore incredibile,

Ti piace?

Sei stato in palestra?

Mi sono rovinato con 45 minuti di stairmaster a tutta velocità, mi sono ucciso, erano anni che non andavo in palestra e mi sono rovinato, e poi non ho fatto la doccia perché ero in ritardo,

Hai fatto bene,

Ti piaccio così?

È una festa di benvenuto per me.

È il mio modo per dirti che sono tutto per te, e farei qualunque cosa, chiedimi di fare qualunque cosa e io la faccio, ti giuro che la faccio.

Questo mi piace,

Tu non mi conosci ma io sono un uomo romantico, a volte sono pazzescamente romantico!

Felix il romantico ha continuato a muoversi piano dentro di me, io gli ho detto di non avere fretta, e ho cercato di sintonizzarmi col suo ritmo e i suoi movimenti. Gli ho detto: L'amore è un gioco di conoscenza, di ritmo e di intuito, questo è quello che ho imparato col tempo.

Ah sì?

Sì,

E cos'altro hai imparato? Sentiamo anche questa,

Ho anche imparato che è lasciandosi andare che si intuisce cosa sta bene all'altro. In questo modo si può crescere nella capacità di sentire e godere, si può arrivare a sentirsi anche un po' maschio e un po' femmina. Sì, proprio così.

Ti senti così?

A volte sì,

Io mi sento maschio, mi sento bene, basta non scopare con mia moglie mi sento un toro,

Ci risiamo con tua moglie?

Quando noi facciamo l'amore è bello, perché non ha niente a che fare col sesso fastidioso e insoddisfacente che faccio con lei, per lei non sono neanche più un essere umano con dei sentimenti e una vita. D'ora in poi non lo farò più con lei. Mai più! Porco schifo!

Felix, tu lo sapevi che mi piace il tuo odore, che mi piace quando sei sudato, come oggi?

Non lo sapevo, forse l'ho intuito,

Sei un ragazzo in gamba, gli ho detto, e mi sono messa a lavorargli il collo e le labbra. Lui mi ha preso per i capelli e mi ha allontanato la faccia per guardarmi negli occhi, in questo sguardo c'è qualcosa che non gli ho mai visto prima. Mi ha detto: Se questa storia non funzionerà tu potrai farmi male sul serio. Mi ha guardata ancora e poi ha aggiunto: In questo momento mi appartieni e se volessi potrei distruggerti.

Mi sono detta che se Felix è un assassino a questo punto era troppo tardi, a questo punto non potevo più tirarmi indietro.

33.

Me ne sto allungata nel mio letto e ascolto la pioggia. Ogni tanto mi alzo, vado alla finestra per vedere se Serge è tornato. È mezzanotte passata e ancora non l'ho visto. In strada non c'è nessuno, c'è solo qualche macchina coi fari accesi che tira dritto.

Dopo un po' sono tornata a letto e ho sentito dei passi sul pianerottolo, qualcuno ha bussato alla porta, ma io non mi sono mossa. Hanno bussato di nuovo, più forte, ma Serge non bussa mai, e non dimentica mai le chiavi. Sono rimasta immobile, col cuore in gola, ho avuto paura. Mi sono alzata piano, sono andata a guardare dallo spioncino. Chiunque fosse, stava attaccato dietro la porta e non voleva farsi vedere. Brutto segno. Il legno del pianerottolo ha scricchiolato, ho detto: Chi è? Chi c'è qui dietro?

Non ha risposto. Poi ho sentito dei passi per le scale, qualcuno sta scendendo dal piano di sopra. Non ho saputo che fare, sono andata in cucina a accendere le luci, poi ho deciso di aprire la porta. Non c'era nessuno, sono corsa alla finestra per vedere se qualcuno usciva dal portone. Quando ho visto che non usciva nessuno mi è venuta l'ansia, ho pensato che poteva essere sceso nella cantina, ho pensato a qualcuno che d'ora in poi non mi lascerà più in pace, ho chiuso a chiave la porta e sono andata a ficcarmi nel letto, ho cercato di leggere, poi mi sono addormentata.

Quando Serge ha infilato le chiavi nella porta mi sono svegliata di colpo, tutta sudata col libro in mano, lui è venuto in camera da letto, ha detto: Adesso ti chiudi a chiave anche quando sai che devo tornare?

Avevo un po' paura, ho detto.

Ha cominciato a spogliarsi, si è seduto sul letto per togliersi i pantaloni e i calzini, ha sbadigliato, ha grugnito e poi mi ha detto: Guarda che casino che c'è in questa camera da letto, perché ammucchi sempre tutti i tuoi vestiti sulle sedie? Cosa stavi leggendo?

Silvia Plath,

Ancora lei!

Perché?

Cosa stai leggendo,

I suoi diari,

Oh!

Perché oh? Cos'è quell'oh,

Niente, è che... uff, ha continuato a sbadigliare con la bocca spalancata e l'aria distrutta.

Allora? Sputa l'osso,

Ma niente, solo che sei sempre dietro a leggere di questi spostati, tutte queste tue poetesse suicide, Silvia Plath, e quell'altra, la schizofrenica, quella che si è messa a scrivere poesie su consiglio del suo psichiatra,

Quella dev'essere Anne Sexton,

Ecco lei,

Dunque?

Ma niente, era solo...

Sai una cosa, a me piacciono queste ragazze, le poetesse schizofreniche come le chiami tu, sono persone che capisco, capisco quello che sentono...

Sono... sono solo delle schizoidi, paranoiche, è gente malata, che vive fuori dal mondo! Emily Dickinson, Virginia Woolf, e quell'altra, come si chiama, quella che allevava pavoni e viveva con sua madre a quanti anni? Cinquanta, sessanta? come si chiama?

...

Dai come si chiama,

I pavoni è Flannery O' Connor,

Ecco, lei e i suoi pavoni...

Serge,

Eh?

C'è qualcosa che non va?

Come che non va?

Vuoi dirmi qualcosa,

Ma no, cosa dici,

Mi dai un bacio?

Certo,

Hai l'alito che sa di whisky,

Ho bevuto un goccio,

Va bene,

Sono andato da Jeanne e Christophe e abbiamo bevuto un po', tu sei andata a letto presto?

Sì,

Sei stanca?

Un po',

Che hai fatto oggi?

Mah, le solite cose,

Vabbè,

...

Buonanotte allora,

Io leggo un altro po',

Come vuoi.

Occhei.

Comunque sì, per finire il nostro discorso, trovo che potresti diversificare un po' le tue letture...

Oddio senti mettiti a dormire, ne riparliamo domani, adesso non ce ne ho voglia,

Ah non ce ne hai voglia eh?

No, sto leggendo. Sono rilassata e sto leggendo,

Mmm...

Sai che mi dà fastido quando fai mmm.

Ah sì e perché eh?

Senti un po', non ti sembra strano venirmi a parlare delle poetesse schizo proprio tu che te ne stai chiuso tutto il giorno coi tuoi pazienti?

Non mi tocca, quello che dici non mi tocca minimamente,

Ah va bene.

Cosa vorresti dire?

Vorrei dire che anche tu ti rivolti tutto il giorno nella merda dei tuoi pazienti, che anche tu hai a che fare tutto il tempo con gente fuori di testa! E poi i tuoi nevrotici sono una sottospecie di malati di mente, non sono dei fuoriserie come i pazzi, quelli veri. Quelli che vengono da te sono solo persone belle, coi soldi e un po' annoiate, come dice Claire. Quelli mica sono geniali come le mie poetesse suicide,

Ma cosa c'entra! io i miei pazienti mica prendo per oro colato quello che mi dicono,

Quelli sono solo casi clinici, no?

Certo.

Quella è gente che non ami, giusto? l'hai detto tu, non la ami quella gente, quelle sono solo persone che puoi classificare, ficcargli su per il culo una bella etichetta, un paio di interpretazioni dei sogni e oplà...

Senti non raccolgo,

No eh,

E francamente ti trovo molto aggressiva stasera.

Ah sì?

Insomma sembra che solo questi scoppiati ti stanno bene, ti stanno bene i tuoi amici travestiti, quell'attrice depressa, e basta, le persone normali ti fanno schifo,

Non è vero,

Ah no?

Non ho niente contro i normali però mi piacciono di più quelli scoppiati, i disperati, quelli col cervello che ogni tanto va in tilt,

Et voilà!

Mi piacciono più i fuori di testa che le persone perbene.

E per quale motivo?

Non lo so, con quelli un po' fuori mi sono sempre trovata bene, mi sento rilassata, non si aspettano niente, non ti chiedono di recitare nessun ruolo.

J'ai compris.

È così.

Senti, e ti sei mai chiesta perché sei finita qui, perché sei finita sposata a uno come me? Uno che non è né un barbone né uno schizofrenico, né un poeta suicida?

Ma anche tu sei uno fuori di testa!

Io?

Dai anche tu mica sei tutto a posto,

Ho capito, be', buonanotte. A questo punto io dormo, sono stanchissimo.

Buonanotte, ho detto io, e ho fatto finta di rimettermi a leggere. Dopo un paio di minuti lui è partito a russare piano, mentre dorme tira un paio di scorregge e poi riprende a russare a tutto gas. Io sono rimasta lì nervosa e confusa.

A questo punto non ho più sonno. Mi sono alzata e sono andata a prendere un po' di vodka dal frigo. Ho preso il telefono, ho fatto il numero di Claire, le ho detto: È tardi?

Un po' ma se hai qualcosa da dirmi, se hai bisogno di parlare vai,

Le ho detto: Ah, ho sempre odiato le scene fra mariti e mogli, tutta quell'aggressività repressa che salta fuori per motivi che non sono mai quelli di cui si vorrebbe davvero parlare.

Avete litigato?

E poi ho sempre odiato la capacità degli uomini di mettersi a dormire tre minuti dopo che si è cominciato a litigare. Sai una cosa, ho pensato che se Serge fosse diverso, se fosse per esempio uno di quei mariti rozzi, violenti e stronzi sarebbe tutto più facile, lo lascerei, avrei un buon motivo per lasciare perdere tutto.

Ma perché dovresti lasciarlo, mica per quel tipo che hai raccattato al supermercato, no?

...

Eh?

Senti Claire, secondo te è possibile riuscire a trovare un equilibrio? È possibile conciliare il bisogno di punti fermi con la voglia di vivere e farsi delle storie?

Secondo me no. Altre domande?

Secondo te è possibile tirare per le lunghe una situazione dove c'è un marito psicoanalista e un amante pazzo?

Dipende,

Da cosa?

Da come ti ci senti, da come ci stai dentro,

Io mi ci sento stretta, con tutti e due,

Allora ti sei già risposta da sola,

Non voglio dire che è colpa loro, no...

No, non stiamo dicendo questo,

Vero?

Loro sono solo...

Sono solo lo specchio di quello che c'ho in testa io...

Oh! la signora vedo che frequenta gli strizzacerv...

Senti una cosa, stasera mi sono chiesta, che cos'è Serge per me? e Felix?

Felix è quello del supermercato?

Sì,

E cosa ti sei risposta?

Ti rompo le scatole?

No, sto sbadigliando ma ti ascolto, vai,

Mi sono detta che forse Serge con tutti i suoi modi calmi e precisi, la sua noiosa puntualità, e i suoi rituali mi serve solo per arginare la mia paura della solitudine, forse mi serve solo perché in fondo ho paura a stare da sola, ho sempre pensato di stare bene da sola ma forse non è vero, forse è una stronzata.

Va bene, e l'altro, a che ti serve l'altro?

L'altro forse è una scappatoia, mi serve solo per tirare una boccata d'aria rispetto a Serge, e ai suoi orari, i suoi pazienti eccetera. Ah Claire! Dove cacchio sono andata a ficcarmi,

...

Niente, niente di tutto questo fa per me.

Forse hai ragione,

Non sono una donna di questo tipo, non mi sta bene una vita così,

E a chi potrebbe star bene, poi?

Forse a altre donne andrebbe bene,

Lascia perdere, dammi retta, non starti a arrovellare troppo, vedrai che farai la scelta giusta. Tirati giù qualcosa da bere e fatti una bella dormita,

Sì, è quello che sto facendo,

Allora va bene, sta' tranquilla.

Però, ti dico una cosa, non pensi che se fossi una donna davvero in gamba, una donna coi controcazzi non passerei il mio tempo a pensare a questo genere di cose?

Che cose?

Se fossi una tipa tosta prenderei e manderei affanculo tutto, andrei a vivere per i cazzi miei da qualche parte, un posto che mi piace, non so a Cuba, per esempio, che ne dici di Cuba.

Cuba non è male, vuoi andare a Cuba?

Oh fanculo anche Cuba!

Se vuoi puoi farlo, se vuoi puoi mollare tutto e partire.

Non ce la faccio.

Senti vecchia mia, io una cosa l'ho imparata, che ognuno fa quello che può fare e se potesse fare di più lo farebbe.

E questo che cacchio significa,

Pensaci un po' su e vedi se lo capisci,

Occhei, sei stanca?

No, sono distrutta, e domani mattina mi devo alzare alle sei.

Occhei, grazie,

Non c'è di che.

Sei un'amica.

Ci sentiamo domani, dai.

34.

Cosa ti piace di più di questa storia?

Della nostra storia?

Sì,

Mi piace la tua Alfetta rossa,

Ma dai va' al diavolo,

Ora ti sei incazzato di nuovo?

Sì, ci sono rimasto male,

Occhei, vuoi qualcosa di più romantico? Ti devo dire qualcosa di più sdolcinato?

Be' ogni tanto non sarebbe male,

Va bene, vado con qualcosa di romantico allora, di noi mi piace che ci incontriamo in questa casa piena di angeli, di bottiglie, di vecchi elettrodomestici arrugginiti, mi piace il silenzio, e quando vedo nello specchio i nostri corpi che si cercano e si aggrovigliano... certe volte mi metto a ascoltare i nostri respiri e mi sento bene, mi sento a mio agio,

Ah questo è simpatico,

Ma poi mi dico che anche questa è un'illusione.

Ecco sei riuscita a rovinare tutto, anche questa volta hai rovinato tutto il romanticismo,

Ma dai,

Senti e se ti dicessi che non voglio più fare l'amore, che mi sono rotto?

Perché?

Perché cosa?
Perché vuoi punirmi?
Devi giurare, devi giurarmi che mi sarai fedele.
Oh merda. Va bene, anche tu però.
Io cosa,
Anche tu giurami che d'ora in poi te ne stai lì buono buono come un cagnolino.
Certo, perché no,
Secondo me non ti piacerà, e comincerai a stufarti presto,
Tu non mi conosci.
Ti ricordi l'altra volta, quando mi hai detto: il sesso fastidioso e insoddisfacente che faccio con mia moglie, te lo ricordi ? E poi te ne stai lì a straparlare di fedeltà, e adesso, cosa stiamo facendo, eh?
Ah, non capisci niente, tu non mi capisci!
Tu sei matto, stai chiedendo la monogamia alla tua amante, siamo nel delirio, io lascio perdere.
Vaffanculo, lascia invece il tuo professore, andiamocene da qualche parte, noi due, fuori dai coglioni, vendo questa casa e andiamo da qualche parte,
Dove?
Che ne so, andiamo in Canada,
In Can...
Ti voglio tutta per me,
Non sono pronta,
Ah no eh,
E poi non mi sembra una buona idea.
Certe volte io ti ammazzerei, ti farei a fettine e ti mangerei.
Ecco questa mi mancava,
Porca puttana, ma che cazzo vuoi, vuoi andare a farti sbattere in giro dalla mattina alla sera?
Vaffanculo,
Che problema c'hai,
Ah io c'ho un problema!

E chi allora, io?
Sai una cosa, mi sembra pazzesco, questi nostri discorsi mi sembrano pazzeschi,
Perché? io non ci vedo niente di pazzesco,
Non ci vedi niente di pazzesco perché sei completamente fuori di testa,
Allora significa che non ci stai, che è finita?
Mi sa che sei tu che stai facendo di tutto per farla finire la nostra storia.
IO? Io non ci penso nemmeno,
Merda tu mi vuoi cambiare. Mi vuoi addomesticare, tu mi vuoi distruggere.
...
Ma guarda che tanto anche se ce la fai poi non saprai più che fartene di me, avrai solo una copia di tua moglie, e non sentirai più niente per me, comincerai a dire che anch'io ti sto sulle palle, come dici di lei.
Ma che cazzo ne sai, tu sei una che non ci si mette, tu non ci metti impegno nel matrimonio, guarda quel poveraccio di tuo marito, quello c'ha delle corna che vanno da qui a là,
Ma cosa ne sai, cosa sai di me e di mio marito, non sai niente e parli,
E perché non so niente?
Perché?
Ah ecco! Qui ti volevo, lo vedi che sei una stronza e che vuoi solo usarmi per i tuoi cazzi,
Tanto già lo so come andrebbero a finire le cose se ci mettessimo insieme noi due,
Ah come andrebbero, signora sotutto, come cazzo andrebbero?
Che io dovrei cominciare a lottare con te per non uscire di testa, oppure dovrei cominciare a raccontarti un sacco di palle. Dovrei lottare ogni minuto per poter avere una vita mia, per farmi un po' i fatti miei e tu staresti col fucile puntato per ogni cosa,

...

Senti, ma non ti sembra che stiamo bene insieme perché siamo liberi, perché riusciamo a avere solo il meglio dell'amore?

...

Non ci vediamo mai quando siamo stravolti al mattino, quando crolliamo ubriachi la sera, scorreggiando davanti alla tivvù, in mutande con un bicchiere di vino e una canna in mano...

Io queste cose non le faccio, sarete voi, tu e il tuo psy del cazzo che scorreggiate davanti alla tivvù, io no!

Va bene,

E poi, affanculo, a me piacerebbe fare tutto con te,

Certo all'inizio fantastico, sì, cazzo, facciamo tutto, poi dopo un po' cominceremmo a odiarci oppure se siamo fortunati a volerci bene come due vecchi compagni di scuola.

Perché devi essere così? Perché devi avere questa visione così tetra delle cose?

Ma guarda il tuo matrimonio, e guarda il mio, guarda le persone che stanno insieme da un po' di tempo,

Che mi dici allora se ti porto l'esempio di una coppia di amici miei che stanno insieme da più di vent'anni e si amano ancora e sono belli da vedere insieme?

Chi sono adesso questi amici tuoi?

Due che conosco, è una coppia di froci, sono belli insieme, ti dico,

Ma sì, sì le eccezioni ci saranno, ma vorrei sapere veramente se i tuoi amici scopano ancora con passione, e se sì, se non è solo perché si fanno altre storie per respirare,

Io ti dico che si amano e sono fedeli, se te lo dico mi devi credere,

Vabbè ma adesso che mi frega di questi tuoi amici, io ti sto parlando di me, cazzo, io non sono i tuoi amici,

Allora dici che dopo un po' di anni si sta insieme solo per i figli, e per paura della solitudine?

...

È questo quello che dici?

Dico che non bisognerebbe rovinare le cose buone che la vita ti mette davanti certe volte,

Occhei però adesso smettila di farmi la predica, mi sembri una stronza,

Certo, ogni volta che ti dico qualcosa di vero ti sembro una stronza,

C'hai il tono di quella che ha capito tutto, di quella che sta parlando con uno che invece non ha capito un cazzo,

Questo lo pensi tu,

Senti, senti una cosa, me lo fai un piacere, te lo togli un po' quel reggiseno del cavolo, ti metti un po' libera e cominci a farmi qualcosa che mi fa stare bene, eh?

Ah va' al diavolo!

Adesso sei incazzata?

Sì certo che sono incazzata,

Adesso ti è sparita tutta la voglia di scopare?

Vorrei vedere!

Ah allora sei una ragazza sensibile!

...E comunque non pensare mai di potermi addomesticare,

Non ci penso proprio, non ci ho mai pensato, ma tu sei sincera, eh?

Con te sono sincera,

Sei te stessa,

Sì sono me stessa,

È vero?

Vero,

Giura,

Tu e i tuoi giuramenti!

E domani ci vediamo?

Domani, perché devi pensare a domani, siamo qui insieme, adesso,

Ti eccita il pericolo, eh?

Cosa significa,
Ti diverti a provocarmi,
Cosa sei, sei tu il killer degli orecchini?
Sì sono io.
Occazzo.
Proprio così,
Ommadonna, sei tu?
Sì, e potrei ucciderti, te lo giuro che a volte sento che lo potrei fare,
Oh merda,
Dai che scherzavo, cristo non fare quella faccia!
Non sei tu?
No, pensi che te lo dicevo così, scusa? Buongiorno, sono il killer degli orecchini,
Non lo sei,
No-o... come puoi pensare una cosa del genere di me! Comunque ho deciso che non te lo do più,
Chi pensi di prendere in giro,
Forse non te lo do più, non te lo darò mai più, così smettiamo di vederci, tanto è solo questo che ti interessa di me,
Molto divertente.
Mia moglie non sta bene, è completamente isterica, secondo me sospetta qualcosa,
Ti senti in colpa?
Secondo me sa qualcosa, e poi mi vede strano, anche le mie figlie ogni tanto mi guardano in modo strano, va a finire che se mi rompono le palle io dico tutto.
Devi fare attenzione,
Sì, ma cosa posso fare sennò, che altro potrei fare?
Stiamo a vedere, aspettiamo un po',
Lo dici tanto per dire, non te ne frega niente di me,
Be' ultimamente le cose non stanno andando molto bene.
Perché no?
Non andiamo più tanto d'accordo, tu stai diventando ossessivo e io soffoco un po',

Perché dici così,

È la verità, ti dico la verità.

Restiamo ancora insieme,

Va bene.

Restiamo ancora insieme e vediamo a che punto arriviamo,

Questo non suona rassicurante,

Ho avuto questa brutta vita ho avuto questa vita del cazzo e mi sembra che tutti mi stanno addosso e mi pompano e mi tolgono l'aria, merda!

Felix, calmati, dai,

E non startene lì con le mani in mano a fissarmi,

Che cacchio dovrei fare?

Ieri abbiamo litigato, l'ho chiamata stronza, le ho detto che era una vacca e una stronza, le ho messo le mani addosso, le ho fatto male.

Perfetto,

Anche lei lo ha fatto però, mi ha picchiato e mi ha detto che le do il vomito e che le faccio schifo, guarda qui, mi ha colpito sullo stomaco e sul petto, la stronza! Guarda che unghiate che mi lascia.

...

Io le ho detto che era una vacca prima di sposarsi con me e che ha continuato a esserlo anche dopo.

...

Non dici niente? io ti sto dicendo che sto per mandare all'aria il mio matrimonio e tu te ne stai lì tranquilla,

35.

Le strade sono il mio rifugio. Quando qualcuno che non vive qui mi parla di questa città io non posso fare a meno di pensare che non la conosce, che non sa niente di lei, perché nessuno può apprezzare veramente la bellezza delle strade di Parigi finché non è costretto a rifugiarsi fra le sue avenue e i suoi boulevard color ardesia per sfuggire all'angoscia e alla pazzia. Finché non si è sentito come una foglia sbattuta qua e là da ogni vento che soffia. Quando sono per strada qui mi sento sola e libera, perché Parigi mi parla in questa lingua amara, fatta di miserie umane, di sogni, di desideri, e rimpianti.

Ho deciso di non vederlo più, però l'ho sognato. Ho sognato che eravamo in paradiso, tutti e due. Sono andata a piedi da casa mia fino al bois de Vincennes. Ho fatto tutto un percorso, sono passata dal Jardin des Plantes, ho attraversato tutto il boulevard de l'Hôpital, ho preso per il boulevard Auriol e sono arrivata al parc de Bercy. A questo punto ho fatto una sosta, mi sono seduta su una panchina e poi ho ripreso la marcia, ho tirato dritto verso Daumesnil, finché sono arrivata a Vincennes. Questa è sul serio la migliore città al mondo per scarpinare e rimuginare, attraversi i ponti e passi in mezzo ai parchi e ai giardini e poi cominci a dare un'occhiata alle aiuole fiorite piene di iris, di dalie e di margherite, e guardi i grandi platani e i cedri del Libano, e poi ti metti a ascoltare i versi dei merli e li guardi svolazzare coi loro becchi gialli e poi arriva una cornacchia che si mette a saltellare nel suo modo cornacchiesco e la vita ti appare subito sotto un'altra prospettiva, ti metti a respirare, sei contenta di startene da sola, di essere in questa città e non pensi più a niente.

Poi gliel'ho detto. Gli ho telefonato e gli ho detto che l'ho sognato. Ho sognato che eravamo in paradiso, noi due, che ci eravamo arrivati in macchina, sulla sua Alfetta rossa. Avevamo preso una strada che partiva dalla Porte d'Orléans e avevamo trovato questo passaggio che ci portava dritti in paradiso.

In paradiso, io e te?

Sì, proprio così.

E cosa ci facevamo in paradiso?

Non lo so... eravamo felici, stavamo insieme.

Ma tu sei fuori, e poi cosa ci facevamo con la mia Alfetta in paradiso, gli sfigati della situazione? Eravamo quelli tagliati fuori anche lì?

No, no, non ce ne fregava niente, perché eravamo insieme, eravamo solo noi due e stavamo proprio bene...

E cosa c'era in paradiso, a parte noi due, com'era fatto?

C'erano delle colline verdi e degli alberi con i germogli, tipo dei ciliegi, o dei mandorli, forse somigliava un po' al Giappone questo paradiso.

Tu sei matta,

Se sono matta, per me va bene.

Ah va bene?

C'è gente che l'ha pensato, per un po' di tempo anch'io l'ho pensato,

E che altro succedeva nel tuo sogno,

Nel paradiso a un certo punto il paesaggio si trasforma, e arriva una foresta, tanti alberi e una foresta fitta, tipo Fontainebleau per dire, sai com'è Fontainebleau, con le querce, i pini, le rocce con quelle forme strane, e poi c'era una piccola capanna e c'eravamo noi che andavamo verso questa capanna, eravamo tutti beati e sorridenti.

Eravamo contenti di essere lì,

Sì, perché ci eravamo tirati fuori da tutta la merda che c'è in giro.

Senti perché non la smettiamo?

Che vuol dire?

Ho bisogno di vederti, non capisco più un cazzo se non ci sei,

Anche tu mi sei mancato.

È stupido litigare, io sono completamente tuo, puoi farmi quello che vuoi, puoi...

Aspetta, dai,

Puoi farmi a fette, puoi sputarmi in faccia,

Oh, Felix, cristo santo...

36.

Ho attraversato ancora una volta il pont de Sully e il boulevard Henry IV e sono arrivata a Bastille, qua intorno ci sono tutti questi miei pensieri di desiderio e di paura che ormai fanno parte del paesaggio, sono tutt'uno con le case, la facciata dell'Opéra Bastille, la piazza e tutto il resto. Quando sono entrata al Café des Philosophes l'ho visto subito, mi è sembrato un po' dimagrito dall'ultima volta, ha una camicia gialla, tutta spiegazzata, col colletto arricciato sulle punte, ha l'aria di chi ha dormito poco, o non ha dormito per niente. Ho ordinato una birra, lui ha detto, Non perdiamo tempo, ho già aspettato troppo, andiamo subito a casa,

Io: ...
Lui: Non ti va?
Io: No è solo che...
Lui: L'ultima volta non ti è piaciuta,
Tutta la storia dell'ultima volta non mi è piaciuta,
Perché non volevo scopare,
Non mi va di fare l'amore adesso,
Allora significa che ci sei rimasta male sul serio,
Certo che ci sono rimasta male sul serio,
Perché?
Perché? PERCHÉ?
Cosa ho fatto di così grave?
Forse non me lo aspettavo da te, non mi aspettavo che fossi così,

Sono passati quasi dieci giorni, e non mi hai mai telefonato,

È vero, ma volevi vedermi solo per farmi un altro interrogatorio?

No,

Va bene,

Non ci siamo sentiti per quasi dieci giorni.

Io non potevo telefonarti, ogni volta che ti ho pensato mi sono sentita come paralizzata.

Lui ha cominciato a armeggiare col portacenere, si è messo a dondolare una gamba veloce, nervosissimo, ha detto: Mi sei mancata un casino.

...

Io no, vero?

Anche tu,

Anch'io?

Sì, anche tu mi sei mancato,

Perché non ti sei fatta viva?

Non ce l'ho fatta, mi sentivo paralizzata,

Ma che significa?

...

Col professore come vanno le cose?

Piuttosto bene,

Non ha capito niente?

No, penso di no,

Non lo lascerai mai?

Per adesso non credo,

Fanculo!

Mi dai un bacio?

Va bene,

Ci siamo baciati e poi lui è scattato di nuovo, ha detto, E allora perché sei qui, cosa ci fai qui se non lo vuoi lasciare?

Io non ho risposto, e lui ha incominciato a sorridere. È un

brutto sorriso, senza nemmeno un po' di allegria dentro, un sorriso di chi pensa che in questo mondo a lui non toccherà mai niente di buono, di chi pensa che non tirerà mai il biglietto vincente e che se ci fossero state delle sfighe, dei guai e dei disastri in giro, questi si sarebbero andati a concentrare sempre e solo su di lui.

Dico: Che ne dici di andarci a fare un giro fuori città, ti va di muoverci un po'?

Va bene, dove ti piacerebbe andare,

Non lo so, possiamo andare a Fontainebleau, che ne dici?

D'accordo,

Siamo saliti sull'Alfetta e abbiamo cominciato a andarcene in giro nel traffico, Felix guida nervoso, dice, Ah, non dovevamo infilarci in questo casino, dovevamo starcene a casa tranquilli, poi in fondo questa Fontainebleau non è niente di speciale,

Già come tutto, ho detto io. Lui non ha raccolto la battuta, non ha sorriso né niente.

Abbiamo preso la direzione della Porte d'Orléans, come nel mio sogno, e poi ci abbiamo messo un bel po' di tempo per trovare l'autostrada, non sapevamo da che parte andare. L'abbiamo presa e lui ha guidato in silenzio quasi tutto il tempo. Dopo più di un'ora è arrivato un cartello che indicava Fontainebleau, siamo usciti dall'autostrada, abbiamo vagato ancora un po' e finalmente è cominciato il bosco fitto, intricato e immenso. Felix ha parcheggiato al lato della strada e siamo scesi. Abbiamo camminato per un po' in silenzio fra i sentieri di faggi e di querce, quando siamo arrivati vicini a una roccia a forma di elefante ho ripensato al sogno. Ma eravamo molto diversi nel mio sogno, c'era un'altra energia e eravamo felici.

Abbiamo incrociato un paio di ciclisti, Felix continua a stare zitto, ogni volta che lo guardo gli vedo quella piega amara sulle labbra. Mi sono detta che a questo punto sarebbe meglio lasciare perdere tutto, tenersi qualche momento buono che abbiamo avuto insieme e lasciare perdere tutto quanto.

Lui ha detto che è stufo, che non ne può più di scarpinare per la foresta.

Ho detto: Non ti piace qui?

Lui ha detto, Lascia perdere, cosa vuoi che me ne frega della tua foresta!

D'accordo,

Senti torniamo indietro, possiamo tornare?

Va bene, ma siamo appena arrivati.

Andiamo a scopare?

Non ne ho molta voglia oggi, non mi va,

E come mai?

Non mi va,

Sei stanca?

Un po', sì.

Sei stanca di cosa?

Sono stanca di tante cose, sono stanca delle storie in cui vado a ficcarmi, dei rapporti che ho e di quelli che non ho, un po' di tutto questo,

Occhei ti sei spiegata.

37.

Siamo tornati verso la macchina, lui ha messo in moto e siamo partiti nella direzione opposta. Quando ho visto il cartello che indicava Barbizon ho detto qualcosa a proposito dei pittori che stavano lì nell'800. Mi sono messa a raccontare di questi tipi che si erano scocciati di Parigi e della pittura controllata dall'accademia e se n'erano venuti qui per cercare l'aria pura e uno sguardo nuovo. Continuo a parlare anche per rompere il silenzio pesante che sa creare Felix quando è di cattivo umore.

Lui ha detto: Per favore, basta, e si è messo a fare la parte del povero martire che non ne può più di ascoltarmi. Poi ha ritirato fuori uno dei suoi argomenti preferiti, ha detto: Be' comunque a questo punto è chiaro che se non siamo a letto io non conto niente per te,

Che vuoi dire?

Ah lascia perdere dai.

No no continuiamo, vediamo dove andiamo a finire, coraggio,

Lo so che non ti frega niente di me e che mi usi solo per scopare, che sono una specie di vibratore umano per te.

Sei proprio uno stronzo.

Non è vero forse?

No che non è vero,

Hai avuto un sacco di storie ti sei scopata un sacco di gente.

Ci risiamo?
Uno in più uno in meno che cosa può contare.
Sei proprio un grosso stronzo,
Senti questa allora, ieri mi sono scopato una,
...
Non dici niente?
No.
È da un po' che la cosa va avanti, è da un pezzo, non vuoi sapere chi è?
No.
Ah non ti importa?
Perché, è qualcuna che conosco?
No, non credo proprio.
E allora cosa mi interessa sapere chi è,
E dove l'ho incontrata, non vuoi saperlo?
Va bene, dove l'hai incontrata?
L'ho incontrata in palestra, lei mi guardava io la guardavo, mi sorrideva e poi quando sono uscito l'ho invitata a bere un caffè e lei quella porca invece mi ha portato subito a casa sua, merda, mi ha scopato fino al midollo, mi ha lasciato senza più niente dentro!
Perché mi vieni a dire queste cose?
Perché mi va.
Bene.
E per farti vedere come ci si sente.
Come ci si sente quando?
Quando una persona con cui stai ti dice che se n'è fatta un'altra.
Ah, capito.
Non dici niente?
No, dico solo che vorrei andarmene da qui, voglio andare via, portami a casa.
Ci sei rimasta male?
Secondo te?
Ah ci sei rimasta male *almeno*!

Vaffanculo,

Ecco, qua ti volevo.

Non voglio più parlare con te, portami a Parigi e dimentichiamoci tutto,

No io non ti porto da nessuna parte, vacci per conto tuo a Parigi.

Va bene, ti saluto.

Ma dove vai, dove cazzo vai,

Vado a cercarmi un taxi.

Ma qui non passano taxi, che cazzo di taxi vuoi trovare nella foresta.

Allora vado a piedi,

Vai va'.

Mi sono incamminata con un senso di dolore al petto e una grande voglia di mettermi a piangere per la rabbia e la delusione e per essermi cacciata ancora una volta in una storia di merda. La strada per tornare in città mi è sembrata infinita, sono in mezzo a chilometri e chilometri di alberi, non passa nessuno e io mi sento senza forze. Quanti chilometri ci saranno per tornare a casa? Quanti cazzo di chilometri saranno?

Dopo poco si è messo a seguirmi con la macchina, ha rallentato e si è messo a venirmi dietro senza dire niente. Io ho continuato a camminare, il dolore al petto sta diventando sempre più forte e comincio a respirare male.

Sento che dice: Andiamo, su, sali.

Ho detto di no, anche se non mi piace l'idea di camminare per delle ore su questa strada, anche se fra poco comincerà a venire buio. Lui si è messo a gridare: Porca puttana sali! HO DETTO SALI.

Allora sono salita e lui è ripartito sgommando. Guida veloce e ogni tanto toglie gli occhi dalla strada per guardarmi, ha una brutta faccia, ha i capelli spettinati, la bocca piegata in una smorfia di rabbia e lo sguardo fisso. In certi momenti è terribile che le persone abbiano una faccia, e una bocca e degli occhi.

Ogni tanto batte un pugno sul volante e poi urla: NON TI FREGA UN CAZZO DI ME! NON CI SONO NON ESISTO PER TE DILLO DILLO ALMENO AMMETTILO...

Si è fermato di colpo, ha sterzato e si è infilato in un piccolo spiazzo ai lati della strada. Mi ha guardato con la faccia sconvolta, gli occhi pieni di lacrime, ma non mi sta vedendo. Io ho allungato un braccio verso di lui, ho fatto per carezzargli i capelli ma lui mi ha allontanato con un colpo brusco. Ha detto: Non toccarmi, odio essere toccato. TI ODIO.

Gli ho detto: Va bene, ma adesso calmati. Gli ho appoggiato una mano sul ginocchio e lui l'ha allontanata di nuovo. Poi ha guardato fuori dal finestrino, si è messo a ridere da solo, e ha cominciato a aprirsi la cerniera dei pantaloni. Si è tirato fuori l'uccello e ha detto: Fammi un pompino, e basta, piantala di chiacchierare, puttana!

Io ho schiacciato la schiena contro la portiera, sono rimasta impietrita e raggelata perché ho sentito che quest'uomo adesso mi odia e potrebbe uccidermi. Ho pensato che anche se ho fatto o detto qualcosa di sbagliato non me lo merito tutto questo odio, non me lo merito di morire per questo. Ma se Felix è un assassino, se il mio amante è uno psicopatico che se ne va in giro a strangolare le donne, allora a questo punto è arrivato il mio momento. La mia testa è partita a immaginare la scena. Il mio corpo senza vita, nudo e bianco, pieno di lividi e macchiato di sangue che viene ritrovato da qualche parte, in un fosso o sotto un albero, dentro la foresta, come in un film poliziesco. Serge che viene chiamato a identificare il cadavere. Il dolore di Serge, il dolore di mia madre e di mio padre. Le lacrime e l'incredulità di Claire, di Tina, di Nathalie, i commenti di tutti quelli che conosco. Mi è venuto in mente che sulla mia scrivania ho lasciato delle poesie non ancora finite, ci dovevo lavorare ancora a quelle cazzo di poesie, sarà imbarazzante se qualcuno le leggerà così, allo stato grezzo.

Poi ho lasciato perdere le poesie e mi sono messa a pensare a cosa potrei fare, forse posso provare a scendere dalla macchina, ma lui mi verrebbe dietro. Il corpo di Felix è tutto teso, ha cominciato a toccarsi l'uccello, ha detto di nuovo: Fammi un pompino, troia! Ma il suo cazzo se ne sta lì tutto triste e timido, come se non c'entrasse niente col suo proprietario. Felix ha cominciato a ansimare e con la sinistra cerca la leva per abbassare il sedile. Ha detto: Fallo,

Io ho detto, Mi dispiace, non mi va.

Ha allungato una mano e mi ha tirato per il collo, ha cercato di tirarmi la testa verso il suo uccello. Ho sentito l'odore del suo sesso e dei suoi vestiti, ho cercato di liberarmi, ma lui ha continuato a tenermi la testa. Il guaio con gli uomini è che sono più forti. È solo forza muscolare, d'accordo, però a volte il guaio è proprio questo. Ha continuato a tenermi la testa schiacciata verso di lui e io ho cercato di svincolarmi. A un certo punto ce l'ho fatta, ma ho picchiato con la nuca contro il volante, una gran botta. Mi viene da piangere, mi tengo la testa, ho gli occhi chiusi e appannati dalle lacrime, sento Felix che apre il cassetto nel cruscotto, tira fuori qualcosa. È duro e pesante, e arriva di colpo. È come l'amore. Mi colpisce la fronte, quanto basta per stordirmi qualche istante. Quando ho visto la chiave inglese che ha in mano ho cominciato a urlare, un verso da animale, di chi sa che non può fare più niente e non ha via di scampo, di chi si sente fottuta perché è rimasta prigioniera della follia di qualcuno. È come un ultimo tentativo, dev'essere la voglia di far parte ancora per un po' del mondo dei vivi. Dev'essere il fatto che non ho proprio voglia di morire.

Lui mi ha guardata con una faccia distrutta, ha detto, Non volevo, non volevo, te lo giuro, merda! Ha schiacciato la faccia contro il volante, si è messo le braccia intorno alla testa come per proteggersi, come se si aspettasse di essere punito, adesso. È rimasto così a ansimare, e io che continuo a singhiozzare, facciamo un bel quadro d'insieme.

Mi sono toccata la fronte, si sta gonfiando, e mi esce del sangue. Ci ho messo qualche secondo per capire che posso provare a scappare via da qui. Ho aperto la portiera e mi sono messa a correre. La testa mi fa male, il ginocchio mi fa di nuovo male, il legamento tira e ho paura che mi lasci a terra, ma continuo a correre senza fermarmi e senza voltarmi indietro. Mi dico che deve passare un'auto, deve esserci qualche stronzo che ha avuto voglia di venire a Fontainebleau oggi, non è possibile che non esista più nessuno da queste parti. Sta venendo buio, e io continuo a muovermi come in un incubo, quegli incubi in cui cammini o corri cercando di raggiungere qualcuno o di arrivare da qualche parte e non riesci. Poi ha cominciato a farmi male la milza, ecco, se solo fossi una tipa un po' più sportiva... Ho pensato di provare a nascondermi da qualche parte dentro la foresta ma mi fa ancora più paura, così continuo a camminare piegata da un lato, tenendomi la milza, controllando il bernoccolo sulla fronte, e non mi fermo.

Dall'altra parte della strada ho visto arrivare delle luci rosse, si stanno avvicinando. È un camion. Mi sono messa in mezzo alla strada, cerco di saltare e di muovere la braccia, forse a questo punto morirò investita dal camion, ma preferisco così che fatta fuori da uno che è stato il mio amante.

Il camion si è fermato, ci sono sopra due uomini, mi hanno fatta arrampicare fino a loro, uno dei due, quello che guida, ha gli occhi sgranati, mi fa: Mais alors qu'est-ce que vous faites là madame?

L'altro ha detto: Ce n'est pas un bon moment pour aller se promener!

Non ho mai amato così tanto degli sconosciuti, non ho mai provato una così immensa gratitudine per qualcuno in tutta la mia vita. Almeno così mi sembra.

38.

Me ne sto seduta sul divano giallo di Tina con una biro in mano, a questa biro ho consumato quasi tutto il cappuccio a forza di mangiucchiarlo, ci siamo versate ancora del tè e io ho guardato nello specchietto il bernoccolo che ho sulla fronte. Poi ho guardato il ginocchio gonfio e verde ricoperto da un impacco di argilla che mi ha preparato lei. Questo impacco si sta seccando e comincia a venirmi freddo a tutta la gamba. Mentre fisso ancora una volta il poster di White Rabbit dei Jefferson Airplane ho rimuginato su cosa fare. Lei ha detto: Questo stronzo, non può passarla liscia, io lo vado a cercare, gli rompo il culo a quello. È andata in cucina e poi è tornata dicendo: Comunque, almeno una cosa la sappiamo, guarda, guarda qua, il tuo tipo è un mostro, sicuramente è un mostro, ma non è *il* mostro. Tieni, è uscito ieri su Le Parisien, non l'hai visto? Gli hanno fatto la copertina, al bastardo.

Cosa?

Leggi, "Ha confessato dopo venti ore di interrogatorio, ha fatto a pezzi la fidanzata, è lui il serial killer".

Occazzo, ma lui chi?

Questo qua,

Fammi vedere! Oh merda!

Merda cosa?

Oh cristo!!

Insomma, mi stai facendo venire l'ansia,

Ho dato un'occhiata alla foto del tipo sul giornale, ha i capelli lunghi e sporchi, il viso grosso e butterato. Ho detto, Non è lui,

Sei sicura?

Certo che sono sicura,

Ffffff... meno male,

Non è Felix,

Ossignore!!

Madonna, io non ho più letto i giornali, mi facevano star troppo male,

Brava, brava furba,

Ma che, tu avevi paura che fosse proprio il mostro, Felix?

Nooo...

Invece sì,

Be', confesso che ero un po' preoccupata per te, un po' sì, e poi ce n'è tanti di pazzi in giro,

Senti ma è lui? è questo qui sulla foto quello degli orecchini? Sono la stessa persona o no?

Pare di sì, ma stavolta non si è limitato agli orecchini, stavolta ha voluto strafare.

Leggi, leggi cosa dicono, ti prego, io non ce la faccio, mi fa male la testa.

Dicono, aspetta, "Secondo i criminologi è lui il serial killer. Secondo la polizia è un pericolo per la sicurezza pubblica. Per la gente più semplicemente è il mostro". Vado avanti?

Sì,

"Sospettava la sua fidanzata Mireille di avere una relazione con un altro uomo, l'ha portata a casa sua a Montrouge e l'ha strozzata. Poi ha detto di essersi addormentato vicino al cadavere",

Lo vedi, la mia teoria, gli uomini riescono a addormentarsi sempre, in qualunque situazione!

Ah, taci! "Quando si è svegliato ha deciso di portare via il corpo da casa sua, ma si è reso conto che il corpo nel frattempo si è irrigidito e non entra nella Renault..."

Oh merda.
Continuo? Sei sicura?
Continua sì.
"La trascina in giardino, e con un'ascia le amputa le braccia e cerca di dare fuoco a quello che rimane."
Occazzo mi viene da vomitare,
"Non riesce a bruciarlo, avvolge i resti in una coperta, li mette in auto e parte per il Midi, lungo la strada butta le braccia in due diversi cassonetti, e il resto del cadavere lo butta nel Rodano. Quando torna a Parigi comincia a dire agli amici che la sua fidanzata l'ha lasciato, se n'è andata all'improvviso e lui è disperato..."
E come hanno fatto a beccarlo?
Si era mandato due sms col telefonino di lei, per fare vedere che era ancora viva. Ma è questo che l'ha inchiappettato, i poliziotti hanno controllato i tabulati telefonici e hanno visto che i messaggi arrivavano dal telefono della fidanzata ma erano stati spediti tutt'e due da Montpellier, proprio quel fine settimana, quando il tipo era andato a Montpellier dai genitori. L'hanno scoperto così.
Ah che razza di storia!

Dalla radio di Tina è uscita di nuovo la voce della vecchia Janis Joplin, sta cantando More Over e io ho pensato che questo è un segno, non so bene di cosa ma sono sicura che è un segno, questa canzone l'avevo sentita il giorno che abbiamo fatto l'amore per la prima volta. Mi è venuto in mente quando lui mi aveva detto: secondo te perché esiste un muro del pianto e nessuno ha mai pensato a costruire un muro della felicità, o della gioia di vivere o dell'allegria?
Tina ha detto: Forse avresti dovuto rallentare un po' il ritmo col tuo mostro, forse era diventata una faccenda troppo coinvolgente,
Ah che storia del cavolo, Tina!

La sensazione che ti stavi facendo trascinare un po' lontano ce l'avevo,

Ma dai!

Sissì,

È come coi cioccolatini, sai quando ti dici ancora uno e poi basta, ancora uno e poi basta e alla fine hai fatto fuori tutta la scatola,

E a quel punto ti senti grassa come una vacca, ti senti che non sei buona a niente neanche a tenere testa a una scatola di cioccolatini,

Proprio così, l'unica cosa sarebbe stato fare come gli alcolisti che hanno deciso di smettere, bisogna tenersene alla larga, starsene fuori del tutto, se si vuole restare sobri,

Poi basta che ne assaggi un goccio e subito hai bisogno di scolarti una bottiglia, non riesci a fermarti,

Sai all'inizio non era niente male con quest'uomo,

Me lo immagino sai, all'inizio è sempre magico, qualunque storia è sempre bellissima all'inizio,

Magari anche per quei due, che ne dici?

Chi, per Mireille e il tipo che le ha amputato le braccia e le ha buttate nel cassonetto?

Ti prego!

Sicuramente era stato bello anche per loro, all'inizio.

Eh merda!

Cosa fai, ti fermi a dormire da me?

Sì, telefono a Serge. Cazzo come mi fa male la testa!

È meglio che non ti veda così,

È meglio, sì,

E in tutto questo il tuo strizzacervelli non ha mai sospettato niente?

No, almeno mi sembra,

Lavora moltissimo...

Già. Senti, non ho più voglia di bere il tè, non ce l'avresti qualcosa di meglio? Qualcosa di un po' più... come dire,

Alcolico?

Ecco, mi hai tolto la parola di bocca.

39.

Tina mi ha fatto dormire nella sua chambre d'ami, è una stanza piccola e pulita, mi ha messo sul letto una t-shirt bianca con la faccia di Annie Lennox stampata sopra e la scritta Who's that girl? e poi mi ha dato un bacio, mi ha detto: Dormi bene, e ha chiuso la porta. Io sono rimasta un po' seduta sul letto con la copia di Le Parisien in mano, sono stanca morta e allo stesso tempo non ho nessuna voglia di addormentarmi. Ho sentito delle fitte alla pancia, sono andata al gabinetto e mi sono accorta che mi sono venute le mestruazioni. Quando sono tornata nella stanza la vista del letto rifatto, i cuscini coi disegni provenzali e la piccola televisione sul ripiano mi ha dato una botta di tristezza incredibile. Fuori ha cominciato a piovere, e io mi sono allungata e sono rimasta a pensare alla camera da letto di casa mia, ho pensato a Serge che sta dormendo da solo, alle sedie con tutti i miei vestiti ammucchiati sopra, gli armadi che ho riempito di roba stropicciata, di borse, di sciarpe e berretti, ho pensato all'aggeggio dove Serge mette i suoi pantaloni stirati, ben piegati, e ai suoi maglioni ordinati per colore. E agli scaffali della libreria con tutti i suoi libri di Freud, di Winnicot, dei seminari di Lacan e compagnia bella, mi sono messa a pensare a tutti quei titoli che ho imparato a memoria senza volerlo, a forza di vedermeli intorno. Davanti agli occhi mi ballano come in un'allucinazione i titoli dei suoi libri, Le Séminaire livre VIII: le transfert, Le Séminaire livre X: l'angoisse, eccetera. Mi sono venuti in mente i libri e le riviste da strizzacervelli che riceve per posta e poi tiene sul comodino e legge sempre prima di addormentarsi. E ora cosa significa tutto questo? Ora comincio a sentire un senso di abbandono bestiale. Mi sembra di essere rimasta sola al mondo. D'accordo forse il matrimonio non fa per me, però adesso Serge mi manca.

Le pareti della stanza sono tappezzate di carta da parati a righe verdi e gialline, mi sembra di vederci dentro migliaia di occhialini tondi da vista, ma senz'altro non è così. A questo punto mi sono messa a piangere, come una scema, non è durato molto, ho pianto solo un po', con molto ritegno, non ho niente voglia di lasciarmi andare a un pianto da gallina, da una senza palle, forse piango un po' solo per scaricare la tensione e il dolore alle gambe, alla testa e alla pancia. Mi dico: dormi, cerca di dormire, che quando ti svegli starai meglio, la pancia non ti farà più male, la testa andrà meglio, i pensieri saranno più speranzosi, magari finirà anche che smette di piovere e arriva una cacchio di bella giornata di sole parigina. Sono tornata in cucina cercando di non fare rumore, ho preso un po' di vodka dal frigo di Tina e me la sono versata in una tazza che era lì sul lavandino. Sono tornata nella mia stanza, mi sono spogliata e mi sono infilata la t-shirt di Annie Lennox. Ho spento la luce e ho provato a addormentarmi. Poi ho sentito il cuore che comincia a battere forte e io che comincio a sudare. Mi sento precipitare nelle vecchie paure infantili, quando mi prendeva l'ansia a stare da sola e mi sentivo riempire d'angoscia pensando che mia madre poteva scappare via e abbandonarmi dopo che già mio padre se n'era andato. Cazzo non sei più una bambina! ho detto a me stessa, ho riacceso la luce e mi sono tirata a sedere sul letto. Mi è sembrato di vedere una sagoma d'uomo muoversi fuori sul terrazzino. Mi si è annodato lo stomaco, occhei adesso ti alzi e vai a vedere che non c'è nessun uomo nero dietro la tenda, adesso prendi e vai a vedere che sono solo le tue paranoie. Coraggio! Ma sono rimasta lì impietrita.

40.

Ho sentito dei passi sul pianerottolo, dietro la porta, per qualche secondo ho pensato che forse era Serge. Poi mi è venuto in mente Felix, forse è lui, mi ha spiata ancora una volta e adesso vuole entrare in casa e farmi la pelle. Mi sono alzata e col cuore che va a mille sono andata a aprire la portafinestra che dà sul terrazzino, ho respirato l'aria fresca che sa di pioggia, e ho ripensato a un libro di Freud che Serge mi aveva dato da leggere qualche anno fa. Ci eravamo appena conosciuti, mi aveva detto che in genere anche i profani lo trovavano interessante. Quel libro erano le Conferenze introduttive alla psicoanalisi e io allora avevo pensato che voleva farmi entrare nella sua setta. La setta di quelli che pensano che a tutto c'è una spiegazione, che per tutto c'è una causa e basta prenderla per le palle questa causa che tutto si aggiusta e tu puoi rimetterti in pista, andare a lavorare, fare soldi, comprarti un'auto, una o due o tre tivvù, comprarti una casa, andare a metterti col culo su un prato, la domenica, insieme alla tua famiglia e olè. Serge ci aveva provato con questo libro, l'avevo sentito chiaramente, e dato che eravamo agli inizi, quando ancora si è molto ben disposti verso l'altro, quando ancora ci si dice che forse tutto andrà bene e che non stiamo facendo una cazzata a legarci a qualcuno... dato che eravamo a quel punto avevo iniziato a leggerlo.

Quel libro però non l'ho mai finito, non era neanche male, un po' paranoico mi sembrava ma non male. E stanotte qui nella mia stanzetta degli ospiti mi dico, per tenere a bada il panico, cosa direbbe il vecchio Sigmund nel mio caso? sì, cosa direbbe? il vecchio Sigmund forse direbbe che in realtà la paura dell'uomo cattivo è solo il desiderio che quell'uomo cattivo arrivi a farmi un po' di compagnia. Occhei, è così, è proprio così che a volte funziona la capoccia, mi sono detta, inutile fare gli stronzi, poi mi sono allisciata i capelli e ho fatto un bel respiro continuando a sfanculare con la mia socia fifona e anche contro me stessa, pentita, davvero pentita di non avere mai terminato quel libro. Mi sono detta, occhei ripeti con me: va tutto bene, ci ho ancora la mia vita, ho fatto una cazzata ma non ci sono rimasta secca. Posso rimediare. Non c'è niente da aver paura. Smettila di sentirti sempre così sballata e inadeguata, smetti, sono solo le tue paure e le tue paranoie a intrappolarti...

Ho sentito bussare alla porta, mi è venuto il cuore in gola, poi Tina è entrata con la sua camicia da notte lunga fino ai piedi con una grande dalia rosa disegnata sopra, ha detto: Che succede?

Oh merda scusa, ti ho svegliata,

Sentivo qualcuno che parlava, mi stavo addormentando e poi ho sentito la tua voce, con chi stai parlando?

Ah niente, è che non riesco a dormire... parlavo un po' da sola,

Ohhhh...

Mi dispiace non ti volevo svegliare,

Non riesci a dormire?

No,

Non ti trovi bene in questa stanza?

No, è che... forse mi sento un po' sola, ecco,

Cosa facciamo? Ci facciamo una tisana?

No, ho già preso un po' di vodka,

Va bene, pensi che riuscirai a addormentarti?

Sì, sì, tranquilla me ne sto ancora un po' qui a prendere una boccata d'aria...

Io vado a dormire, sono a pezzi,

Occhei, scusa di nuovo,

Lascia perdere,

Tina?

Sì,

Ti dispiace se vengo a dormire nel letto con te?

Va bene,

Sul serio? Non ti do noia?

No, darling, vieni, vieni,

Il letto della mia amica è tutto bianco e pieno del suo profumo, è come essere avvolte in una nuvola di Tina. Le ho detto: Sai che cosa pensavo, che forse il punto è che ho voglia di essere libera e padrona di me e dei miei desideri e allo stesso tempo vorrei anche avere un uomo accanto,

E brava,

Ho paura che se non riesco a cambiare finirò per stare con qualcuno solo per non stare da sola.

Senti ma pensa a Colette,

Cazzo c'entra Colette,

Che gran donna Colette, lei è sempre stata sola, dopo che è riuscita a liberarsi di quel Willy, è sempre stata libera, ma piena di storie, con donne, uomini, gatti... e poi, piena di libri, di amici, di fiori...

Ah tu sei matta Tina,

Potresti prenderla come esempio,

Come esempio, Colette?

Perché no, c'è bisogno di simboli, no?

Sì, è un gran personaggio, ma come scrittrice non mi piace neanche tanto,

E vabbè,

Sai cosa diceva Céline di Colette, diceva: Colette? ha descritto bene *la chatte*, ma a parte questo è pura merda accademica,

Ah, al diavolo quello stronzo antisemita di Céline!

...

Va bene, allora senti, prendi la Simone de Beauvoir, che mi dici di lei?

Sì, bello nelle sue memorie quando racconta che se ne andava a fare le sue passeggiate sui monti intorno a Marsiglia, che s'infilava le sue espadrilles e si metteva a scarpinare lontana da Sartre, quando dice che è lì che ha imparato a stare da sola, ha imparato che la sua vita poteva viverla anche lontana da Sartre, sì,

Allora prendiamo la Simone come nostro punto di riferimento,

D'accordo, d'accordo però scusa, poi lei è rimasta attaccata al suo Sartre tutta la vita, chi se ne frega se non vivevano insieme, che non si sono mai sposati, quelli stavano insieme dalla mattina alla sera, sempre lì a parlare e a fumare e a discutere, al Flore o ai Deux Magots!

Allora... possiamo pensare... ooohhh pensa a chi cacchio vuoi, ma proviamo a dormire, sennò domani saremo due befane piene di rughe,

Sai a cosa penserò allora, penserò solo a salvarmi il culo, a non farmi prendere dalle paranoie e arrivare a domani mattina senza farmi un infarto,

Bene, mi sembra una buona decisione.

Ci ho questo cuore che ogni tanto sballa,

Rilassati,

Sì, adesso cerco di dormire, posso abbracciarti?

Va bene, vieni qui,

Tina mi ha preso fra le sue braccia, è bello sentire i muscoli delle spalle e delle braccia, le grandi tette e la dolcezza del suo profumo, tutto allo stesso tempo. Ah, forse dovrei fidanzarmi con lei. Mi ha detto, con gli occhi chiusi, con la voce bassa bassa di chi sta per addormentarsi: La conosci la mia frase preferita?

Io ho detto, No, dimmela,

Eccola qua. Per sopravvivere bisogna saper rinascere parecchie volte,

Di chi è?

È mia, di chi vuoi che sia.

41.

La mattina mi sono svegliata alle undici passate, il ginocchio si è sgonfiato e il dolore alla testa va molto meglio. Ho toccato con le dita il bernoccolo che mi è sembrato enorme. Mi sono infilata un berretto, sono uscita da casa di Tina e mi sono incamminata verso la Senna. Ha smesso sul serio di piovere e si vede questo fantastico volubile cielo parigino che risplende di azzurro. Ho lasciato rue de Bretagne e ho attraversato tutta la rue des Archives, ho preso il ponte Louis Philippe e ho attraversato l'Ile. Poi sono scesa a camminare sulle banchine lungo il fiume, che è grande e potente, l'acqua è verde e trascina via dei pezzi di rami e foglie, è come una grande arteria che scorre nel corpo della città. Guardo la punta dell'Ile di fronte a me coi suoi alberi che scendono fin quasi a riva. Ogni cosa mi sembra viva, nuova e palpitante nella luce forte, ogni cosa respira nel sole. Ho visto una péniche che è stata trasformata in un bar galleggiante, c'è un gruppo di uomini vestiti con delle tute aderenti e colorate che si stanno sedendo ai tavoli, devono essersi fatti una bella corsa, sono rossi in faccia, tutti sudati. Sono salita sulla passerella che collega la péniche alla terra, mi sono seduta a un tavolino e ho ordinato un caffè.

Ho trovato sulla sedia una copia di Libé abbandonata da qualcuno, ho cominciato a sfogliarla mentre gli uomini con le tute colorate continuano a vantarsi dei chilometri che hanno macinato. Poi mi sono messa a ripensare a Felix, adesso è il suo momento. Mi è tornato in mente il suo corpo nudo, le spalle, il sedere, gli occhi blu che cambiano col colore della camicia o del cielo e i momenti buoni che abbiamo passato insieme. Ce ne sono stati un paio che mi ricordo bene per l'armonia e il magico accordo che avevamo trovato. Tutto filava via liscio e la vita mi era sembrata semplice. Mi sono ricordata come mi ero sentita felice dopo, camminando per le strade intorno rue de Charonne o tornando verso Jussieu a piedi o col metrò.

Ho pensato che tutta questa storia forse gli aveva toccato qualcosa che stava lì acquattata nella sua vita e che a un certo punto è esplosa. Mi sono immaginata il piccolo Felix rimasto da solo con sua madre, quella donna con tutti quegli angeli, e quegli oggetti e le copie di Van Gogh, lei fuori di testa, e lui che aveva dovuto portarsi dietro la solitudine, la rabbia e la delusione di sua madre. Ma questo posso solo immaginarmelo, sono mica Lacan.

Le persone sono un bel casino, i rapporti umani sono pazzeschi. C'è gente che vista da lontano può sembrare normale o banale, poi vista da vicino ti accorgi che è piena di pazzia e di dolore. Ho pensato al Dalai Lama quando dice che siamo tutti legati, che la separazione dagli altri non è una cosa reale, per questo non c'è motivo di non sentire amore verso tutti. Il fatto è caro Dalai Lama che siamo tutti immersi nel nostro vecchio e sputtanato mondo, pieni di merda e di paure e di dolori.

Mi sono rimessa a sfogliare il giornale e ho guardato la foto di un bambino palestinese di un anno che qualcuno ha vestito da kamikaze. Gli hanno messo addosso la tuta mimetica, la cintura di esplosivo intorno alla vita, la fascia sulla fronte e lo hanno fotografato. Ci sono altre foto, altri ragazzini vestiti da kamikaze. Ce ne sono due di diciassette anni che si sono fatti saltare in aria, uno di sedici che ci ha provato, e uno di dodici che è stato fermato con una borsa piena di esplosivo. Mi è venuto in mente quando ero bambina che io e i miei cugini ci vestivamo da zorro, da cowboy e da ballerina di flamenco per carnevale. Laggiù da loro però non è carnevale, probabilmente non ce l'hanno nemmeno il carnevale. Dalle loro parti esistono solo le bombe e i fucili e i soldati ai posti di blocco.

Ah, che storia questa di essere convinti di non avere niente a che fare gli uni con gli altri.

Dopo qualche minuto è arrivata una ragazza e si è seduta al tavolino di fronte al mio, ha dei capelli lunghi un po' scombinati e un bizzarro vestito a quadretti, un vestito fuori moda. Ha tirato fuori da un marsupio un piccolo quaderno, l'ha aperto e ci ha scritto sopra per un po'. Io l'ho guardata e lei ha alzato la testa e mi ha sorriso. Mi ha detto: Io scrivo sempre delle poesie, vado a camminare e poi mi vengono in mente delle poesie e le scrivo. L'ho guardata ancora e mi ha fatto un po' paura perché ho visto subito che c'è qualcosa che le fa male, ho capito subito che c'è qualcosa di troppo forte e senza rete nella sua vita e nella sua faccia, negli occhi, nelle mani e nei capelli. Mi ha detto: Mi sono messa a scrivere queste poesie perché me l'ha detto il dottore che mi cura. Ah sì, ho detto io e ho cercato di lasciare perdere. Mi scombussola un po' questa ragazza, e poi non ho bisogno di un'altra disperata nella mia vita. Però sono rimasta a guardarla e a ascoltarla, lei ha continuato a parlarmi a ruota libera con la sua aria confusa, fuori posto e un po' infantile. Mi ha detto che si chiama Nadine e poi mi ha parlato ancora del suo dottore e di quello che succede nella sua testa. Mentre parla ho pensato a quella storia delle coincidenze, quella storia che a volte sembra proprio che vai a incontrare delle persone che in qualche modo hanno a che fare con te.

Nadine ha ricopiato una delle sue poesie su una pagina del quaderno, poi l'ha staccata e me l'ha regalata. Sono rimasta a bocca aperta. La poesia dice così: *La delusione mi è entrata nel vestito e si è incastrata: non riesce più a uscire.*

Lei mi ha detto: Ti piace?
Io ho detto di sì.
E domani ci torni qui?
Io ho detto che non lo so cosa farò domani.
Ma abiti qui?
Qui sulla péniche?
Ma no! a Parigi,
Sì,
Allora, se ti va domani torna qui e anch'io torno qui e scrivo delle altre poesie, se vuoi te ne regalo un'altra, domani.

Va bene, le ho detto io. Lei ha deciso di andarsene. Ci siamo salutate e l'ho guardata mentre si allontanava. Ho pensato che forse mi stavo facendo una nuova amica. È proprio il tipo di ragazza che sceglierei per passarci qualche ora insieme, potremmo venire qui al bar sulla péniche a berci qualcosa e io mi farei raccontare la sua storia e così potremmo deragliare un po' insieme. Il fatto è che queste persone sbandate mi stanno bene, con loro mi sono sempre sentita a mio agio.

Stampa Grafica Sipiel
Milano, maggio 2007